D0708387

Stella
A-Z

JOHAN ZONNENBERG

Stella
A-Z

ZILVER
BRON

Omslagontwerp: Studio Zilverspoor
Foto omslag: Krisztina Farkas/shutterstock.com
Typografie: Studio Zilverspoor

Redactie: Jos Weijmer

ISBN 978 94 9076 771 6
NUR 301

www.zilverspoor.com
info@zilverspoor.com
Facebook: zilverspoor67
Twitter: @Zilverspoor

all you gotta do is
try a little tenderness
you gotta hold her
don't squeeze her
never leave her
yeah, you just hold her
and never ever leave her.

(uit: *Try a little tenderness,*
fluit: Herbie Mann)

I've lost the very meaning of repose.

(uit: *It never entered my mind,*
trompet: Miles Davis)

Voor mijn moeder,
die regelmatig zei:

*'Ik ga liever zelf eerder dood
dan dat een kind van mij iets overkomt.'*

en voor mijn vader
die dan instemmend knikte.

Stella A-Z

A

het eerste woord

'Wij zijn hier allen tezamen gekomen...'

De uitvaartondernemer spreekt met strak gezicht over de hoofden van de paar mensen die aan het graf staan heen. Alsof hij het talrijke volk dat op iets meer afstand staat belangrijker vindt.

'Misschien wil hij zo een warm wij-gevoel creëren?' vraag ik me af. 'Of door de anderen erbij te betrekken het "allen" meer volume geven? Of is het een subtiele manier van marketing, want uitvaartondernemers moeten ook leven?'

De gedachten die door je hoofd gaan terwijl je het kind van je vriendin begraaft! Met vragen die er helemaal niet toe doen.

Ik heb te maken met de dood van het kind dat hier begraven wordt. Ben er op mijn manier bij betrokken. En ik sta aan de rand van haar graf. Dát doet er wel toe.

Naast me staat Maria, de moeder van het kind. Mijn arm ligt troostrijk om haar schouder.

Overigens, het kind heeft een naam: Madelon. Maar ik zeg liever 'het kind'. Dat geeft afstand, en afstand heb ik momenteel hard nodig. De naam 'Madelon' maakt het allemaal te dierbaar voor me. Dat kan ik niet gebruiken, want ik moet wel verder.

Behalve Maria en ik zijn er geen direct betrokkenen. De weinige familie van het kind is overleden of op een andere manier vertrokken.

Het klinkt misschien erg zakelijk of zelfs hard, maar het feit dat er weinig tot geen nabestaanden zijn, scheelt wel een boel persoonlijk leed.

De vele mensen achter ons zijn geschokt door het trieste ongeval waardoor het kind is omgekomen. Maar na een paar weken praten die vast wel weer over andere dingen.

Mede door mij is het kind dodelijk verongelukt. Geen mens die dat weet, ook Maria niet, anders stond ik hier niet naast haar. Officieel is het omgekomen door een dodelijke val. Doodsoorzaak: gebroken nek.

'Noodlottig ongeval,' kopte het plaatselijk krantje dat zich specialiseert in diefstal, mishandeling, ongelukken en allochtonen.

Iedereen is begaan met de moeder en ook een beetje met mij, haar vriend. Omdat ik 'in de nabijheid was op het moment dat het ongeluk plaatsvond.'

Niemand vermoedt iets, want ik was officieel 'niet in de onmiddellijke nabijheid'.

Ik sta hier met een wirwar aan tegenstrijdige gevoelens: verdriet, woede, liefde, hoop. Het zijn grote begrippen met verraderlijk veel overlap. Daardoor wordt alles wat je ervaart vaag en kan je gemakkelijk verdwalen.

Maar door die vaagheid heen zie ik één beeld scherp voor me. Ik zie het kind in de baan van de wielen staan. Het kind met de dood in de ogen. En dan is het te laat om wat er gebeurt tegen te gaan.

Dat beeld strijdt om voorrang met het beeld van Stella, mijn dochtertje. Het is als kinderen die elkaar in een grimmig spel van de top van de heuvel proberen af te duwen. Alsof er daar geen plaats zou zijn voor twee.

'Stof zijt ge en tot stof zult ge wederkeren.'

Terwijl de kist langzaam en onherroepelijk in het graf zakt, druk ik Maria wat steviger tegen me aan. Ze kijkt me aan en in die blik vertrouwt ze me haar diepe verdriet toe.

Het gekke is: ik heb het gevoel dat ik haar daarin kan troosten. Per slot van rekening weet ik precies hoe het voelt dat je dochter dood is.

En hoe kunnen mensen nu denken dat het kind van grote hoogte is doodgevallen, terwijl je met evenveel recht zou kunnen zeggen dat het is doodgereden? Tja, dat is een heel verhaal. Heb je even?

1

Familie

B

de drie broers

Laat ik maar chronologisch vertellen, anders raak ik de draad misschien kwijt. Als je zo'n kluwen steeds met een nieuwe draad probeert te ontwarren, raakt alles juist in de knoop. En dat zit het toch al.

Ik begin wel met m'n familie.

Daar hoef ik trouwens niet zo heel veel over te vertellen. Die hebben er hoogstens zijdelings mee te maken. Mede door hen ben ik wie ik ben. En dat speelt nu natuurlijk een rol. Maar het voorval met het kind en het doodrijden ervan, daar hebben zij niets mee van doen, alleen ik. Alles.

Ik heb twee broers en ben zelf het middelste kind.

Je leest wel eens in magazines van die artikelen over de positie van het kind in het gezin.

'Ben je eerste, tweede of derde kind? Dat heeft invloed op je gedrag. Ben je toevallig de oudste, middelste of jongste? Ook dat heeft gevolgen voor hoe je bent.'

Nou, ik kan je zeggen dat die verhalen voor ons helemaal klopten. In dat opzicht waren we alle drie modelkinderen. Alsof we heel jong al regelmatig veel te vroeg bij de kapper zaten en alle tijd hadden die onzin te lezen en in ons op te nemen.

Mijn oudste broer is dus de mannetjesputter: dominant, grote prestatiedrang, door mijn komst snel jaloers. Ik drong zijn wereld binnen toen hij negen was. Wat was hij kwaad.

'Je moet wel aardig zijn voor je kleine broertje.'

'Waarom?'

'Omdat het je kleine broertje is.'

'Moet hij weten!'

'Ach, wat onaardig! Geef je broertje maar gauw een kusje om te laten zien dat je het niet zo meent.'

'Nee.'

Naarmate hij ouder werd, vond hij het steeds moeilijker om met wie dan ook te delen. Hij wilde alles onder controle houden. En alles houden zoals het was, want dat gaf houvast.

'Je bent precies je vader,' zei m'n moeder wel eens.

'Helemaal niet!'

'Je vader kan ook zo slecht toegeven.'

'Moet hij weten.'

'Maar je begrijpt toch wel dat je af en toe met anderen moet delen, al is het maar een klein beetje?'

'Waarom?'

'Dat maakt het leven een stuk prettiger voor je. Dat zul je zien.'

'Hoeft voor mij niet. Ik vind het prettig genoeg zo.'

M'n jongste broer is de flierefluiter. Die trok zich van niets en niemand iets aan. Hij was zo gewend in alles z'n zin te krijgen dat hij het niet kon geloven als het anders ging dan hij wilde.

'Ik heb er toch om gevraagd?'

'Ja, alleen, je kunt niet alles krijgen waar je om vraagt. Dat moet je ook leren.'

'Maar dat vind ik niet leuk. Echt niet.'

'Nou moet je ophouden met dat gezeur!' deed m'n vader dan zijn duit in het gezinszakje.

'Ik vind jullie helemaal niet aardig.'

En dan vertrok hij.

Doorzetten paste niet bij hem. Weglopen, met name voor problemen, was zijn succesnummer. Sommige mensen noemen dat 'avontuurlijk.' Daardoor, en door zijn uiterlijk, was hij aantrekkelijk voor veel mensen. Z'n juf op school smolt voor hem, elke dag weer.

'Zo hee, da's een lekker stuk!' hoorde ik de meiden later regelmatig over hem zeggen.

Waar mijn oudste broer star aan regels en traditie vasthield, zocht m'n jongste broer het steeds meer in extremen. Voor hem ging het dus ook op: de mooiste bloemen groeien aan de afgrond.

Over dat gezegde heb ik straks in een ander bestek nog iets te melden dat me verschrikkelijk dwars zit. Niet nu. Ik wil het chronologisch houden.

Ik hing eigenlijk een beetje tussen die twee in, als een pendule nu eens zwaaiend naar de ene kant en dan weer door naar de andere. Gelukkig had ik niet zo'n wijde uitzwaai dat ik me aan welke kant ook kon stoten. Ik bleef braaf tussen de lijnen die anderen voor mij trokken. Dat was al aan m'n eerste tekening te zien.

'Ohhh, wat heb je dat mooi gedaan. En zo keurig binnen de lijnen gekleurd! Goed, hoor.'

Ik ben de dromer. Ik leefde in m'n eigen wereld, die hier en daar samenviel met de wereld van anderen.

'Hij is zo rustig en wellevend. Wat een verschil met jullie andere twee zoons.'

M'n ouders keken meer dan een derde trots als ze dat over mij hoorden zeggen. Jammer genoeg voor hen was ik ook beslist niet prestatiegericht. Ik hield niet van drukte. Zelfs nu lig ik achter en bekijk ik bijvoorbeeld topfilms pas jaren later. Ik omarmde stilte en drukte die dicht tegen me aan.

'Je lijkt wel een kluizenaar,' zei m'n moeder regelmatig.

Dat was in ieder geval gedeeltelijk waar. Ik was een part-time kluizenaar, met m'n grot binnen handbereik.

Ik kon stilletjes in de huiskamer zitten lezen, buiten het rumoer dat de anderen maakten. Dan was er altijd wel iemand die vroeg waar ik was.

'Op z'n kamer zeker?'

'Dat zal wel.'

'Ooooneeee, dááár zit je.'

Vrijwel altijd was het m'n moeder die me toch zag zitten.

'We dachten dat je al naar bed was. Maar je bent er nog. Hier, neem nog maar een biscuitje. En dan als een haas naar bed, hoor, want het is al laat.'

Op school ging het niet goed, maar ook niet echt slecht. De meester meldde bij mijn ouders: 'Het is een rustig kind dat weinig met andere kinderen optrekt, maar wel contact kan leggen als dat nodig blijkt.'

'Dus we hoeven ons daar geen zorgen over te maken?'

'Nee, hoor. Meestal trekt dat wel recht op het voortgezet onderwijs. Nieuwe omgeving, nieuwe vriendjes en dergelijke.'

Na de basisschool ging ik naar de brugklas havo-vwo. Het werd havo.

Bij een oudergesprek over mijn prestaties zei mijn mentor: 'We hebben de indruk dat er veel meer in zit, maar op een of andere manier komt het er niet uit. Hij heeft er wel de capaciteiten voor, denken we. Maar daar kunnen we moeilijk achter komen. Hij zegt niet veel. Is een beetje een Einzelgänger. Niet verontrustend, hoor, maar veel op zichzelf. Heeft wel zijn werk steeds redelijk in orde. Als hij nou eens echt z'n best ging doen...'

'Ja, thuis zit hij wel regelmatig te werken, zien we. Daar kan het niet aan liggen.'

'Nou, dan wachten we het nog even af. Hij moet toch een keer het licht zien, zou je zeggen.'

Het havo-examen haalde ik, zelfs met meer punten dan nodig. In vraagstukken met meer keuzes ben ik altijd goed geweest - en in kansberekening.

Ten aanzien van de wereld had ik een grote terugtrekkingskracht. Daardoor was ik het lievelingetje van m'n moeder en de ergernis van m'n vader.

Mijn moeder begreep er niets van, maar voelde het wel aan. Ze cirkelde liefderijk om me heen, zonder in de weg te lopen. Zo kon ze haar zorg aan me kwijt zonder dat die, zoals bij m'n broers, vaak bot werd afgewezen.

M'n vader begreep het net zo min als m'n moeder, maar kon er niets mee. Kijk, met m'n broer, de mannetjesputter, kon hij het gevecht aangaan. M'n vader won ook, meestal. De jongste, die flierefluiter, kon hij in z'n kraag vatten, er weer bij halen en dan was de orde voor even hersteld. Maar ik was voor hem net een klont deeg van de pizzabakker: wat je er ook mee deed, het gaf altijd mee. Slappe hap, vond hij.

Om kort te gaan, m'n oudste broer wilde de mensen om hem heen tot in detail controleren. Mijn jongste broer ontliep ze het liefst, vooral als hij ze lastig vond. Ik kon het wel zonder al die mensen stellen, dacht ik.

Dat lukte me goed. Op één persoon na, daar kon ik niet zonder. En juist die moet ik missen. Echt tot op het bot van de betekenis missen.

C

mijn ouders

Mijn ouders zijn een verhaal apart, maar misschien herken je er wel wat van bij je eigen ouders.

Laat ik maar met m'n vader beginnen. Wat was dat een verschrikkelijke geldschraper. Hij was boekhouder en noemde zich 'belastingadviseur'. Of dat nu nog zou kunnen weet ik niet, maar toen was dat een onbeschermd beroep.

Zoals hij de boeken van zijn cliënten controleerde, wilde hij onze levens regeren: tot minimaal twee cijfers achter de komma. Liefst eigenlijk drie en aan het eind naar beneden afronden, dan viel het nooit tegen.

Elke financiële uitgave binnen ons gezin was voor hem onverantwoord tot het tegendeel bewezen kon worden. Aangezien hij welbespraakt was en altijd van eigen gelijk uitging, lukte ons dat niet zo vaak.

Gelukkig kon m'n moeder goed naaien, anders hadden we er op school als bedelaars bij gelopen.

Ze heeft nog een kromme rug van boven de naaimachine zitten. Een nieuwe bril was er natuurlijk ook niet bij, dus ze zat met haar neus op de naald. Dat ze nooit een neusvleugel of één van haar lippen - waar ze tijdens het stikken steeds meer spelden tussen verzamelde - heeft mee genaaid is een wonder.

Schoenen waren een drama.

'Pa, ik geloof dat ik aan andere schoenen toe ben.'

'Laat eens zien, kind. Nou, die zien er anders nog best goed uit. Weet je het zeker?'

'Volgens mij zijn ze echt te klein geworden. M'n tenen doen zo zeer.'

'Ga eens staan. Kijk, ik kan zo m'n vinger tussen je hiel en de achterkant van je schoen schuiven. Dus dat is beslist nog niet nodig.'

'Ja, maar m'n tenen doen toch niet voor niks zo zeer?'

'Nou moet je erover ophouden. Een echte Hollandse jongen hoor je niet over zoiets. Als je pijn aan je tenen houdt, kunnen we je schoenen altijd bij de schoenmaker laten oprekken.'

'Maar dat is al een keer gebeurd.'

'Dan kan dat vast ook een tweede keer. En nou wil ik niets meer over nieuwe schoenen horen. Basta!'

Als we dochters waren geweest, had hij onze voeten vast op z'n Chinees ingebonden. Groeien moest zo min mogelijk, want dat kostte alleen maar geld.

Ook het eten werd nauwlettend in de gaten gehouden. Mijn vader legde elke middag het juiste aantal aardappels op het aanrecht klaar die m'n moeder dan mocht schillen met een dunschiller.

Hij kon ook alles in de gaten houden, want hij had z'n bedrijfje aan huis. Tegenwoordig moet van de belasting in zo'n geval je bedrijfsruimte een eigen ingang hebben. Toen hoefde dat niet. Wat zou dat een uitkomst geweest zijn.

Als kinderen leefden we grotendeels langs de relatie tussen m'n ouders, maar één ding kan ik me nog als de dag van gisteren herinneren.

Ik kwam uit school, zette m'n fiets achter het huis en kwam binnen door de keukendeur. In de keuken zat m'n moeder op haar knieën in paniek langs de vloer te lepelen. Ze had een pak melk laten vallen en was alles in een steelpannetje aan het verzamelen.

Na de lepel kwam een schone dweil om het laatste restje in het pannetje te kunnen uitwringen. Het moest allemaal ook nog eens snel gebeuren, want stel je voor dat m'n vader naar beneden zou komen en deze verspilling zag.

'Nee, blijf daar!'

Het was een van de weinige keren dat m'n moeder streng was tegen me. Ik schrok er zo van dat ik bewegingloos op de keukenmat ben blijven staan kijken, naar haar angst en gejaagdheid. Het voelde afgrijselijk. Alsof ik zelf die vernedering moest ondergaan.

Voor mijn vader was de overgang naar de euro een

ramp. Niet in wat hij kon rekenen voor z'n klanten, want dat kon gelijk omhoog. Nee, alle uitgaven leken daardoor verdacht laag. Er was dus alle reden voor hem om dat met nog meer wantrouwen in de gaten te houden.

'Heb je enig idee hoe duur dat echt is?'

Letterlijk alles werd terug gerekend naar guldens. Als je zijn rekenmachine aanzette kwam er geen 0 in z'n display, maar 2,20371.

Tja, tijden van schaarste: m'n vader was ze lichamelijk ontgroeid, maar zat er geestelijk nog middenin, heel z'n leven.

Mijn moeder was een warhoofd. Daardoor was ze niet opgewassen tegen m'n vader. Of eigenlijk toch wel.

Haar chaos moest het afleggen tegen zijn rechtlijnigheid, maar ze was onverbeterlijk opgewekt en spontaan.

M'n vader heeft dat nooit klein kunnen krijgen, zelfs geen cijfertje achter de komma ervan naar beneden kunnen afronden.

Het maakte haar onweerstaanbaar. Bij haar voelden mensen zich op hun gemak. Zij was thuis bij zichzelf. Mijn vader nooit.

Tijdens het avondeten zat hij dikwijls op te scheppen hoe hij professor die-of-die en chirurg zus-en-zo financieel had geadviseerd en hoe ze daarbij tevens over allerlei brede maatschappelijke ontwikkelingen hadden gediscussieerd. Dat werden lange maaltijden, temeer daar onze porties snel op waren.

Waar we niets over hoorden was hoe zo'n chirurg en zo'n professor altijd even met mijn moeder praatten voordat ze weggingen. Daar genoten die mensen van. Dat zagen wij als kinderen zelfs. Dan werd er gelachen. En dat merkten wij als kinderen natuurlijk ook.

We voelden het door de jaren heen steeds duidelijker: we vreesden onze vader met grote vreze en hielden van onze moeder.

Het vreemde is dat we als broers, ieder op onze eigen manier, het planmatige hebben van de vader die we verfoeiden.

We hebben geen van drieën het spontane van onze moeder. Alsof we doodsbang waren voor wat er volgens ons aan vastgekoppeld zat: de chaos.

D

m'n vaders einde

M'n vader overleed op z'n 64ste, kort voordat hij met pensioen zou gaan. Dat was de ironie ten top. Als kleine zelfstandige had hij elk dubbeltje wel dertig keer omgedraaid voordat hij het uitgaf.

'Dan hebben je moeder en ik een appeltje voor de dorst als ik 65 word.'

En toen ging m'n moeder in haar eentje van dat appeltje genieten. Bovendien bleek het niet één appeltje te zijn dat hij bij elkaar had gespaard. Nee, dat was echt een gulle zak vol met van die grote goudrenetten.

De mannetjesputter was toen al lang de deur uit. Die had hij op z'n twintigste met een harde klap definitief achter zich dicht geslagen, nadat hij m'n moeder stevig omarmd had.

'Ma, aan jou ligt het niet, maar die man van je, ik begrijp niet hoe je het daar al die jaren mee hebt uitgehouden,' zei hij bij het weggaan.

M'n moeder deed z'n kraag nog liefderijk naar beneden die hij stoer omhoog had gezet. Intussen keek hij over haar schouder naar m'n vader die verderop in de gang stond alsof hij er niet helemaal bij hoorde. De boodschap van die blik was duidelijk: voor mij kan je doodvallen.

Die boodschap heeft m'n vader op termijn ook opgevolgd. Elf jaar erna stond hij op, zakte voor het bed in elkaar en bleef voorgoed stil liggen.

Volgens mij is dat de eerste en de laatste keer geweest dat m'n vader volledig door de knieën ging.

M'n broer vertrok naar Canada. Hij ging er werken in de 'Golden Triangle'. Ik dacht aanvankelijk dat dat bij Bermuda lag, want die film had ik kort voor mijn broers vertrek gezien. Het bleek ten zuiden van Toronto te liggen. Daar vond hij werk op een boerderij.

Hij trof het, want het was de boerderij van een Mennoniet. Niet zo'n verschrikkelijk streng gelovige, zoals je die daar ook hebt. Ik bedoel, niet zo iemand die geen elektriciteit heeft en nog met paarden ploegt. Dan had hij beter Janzonderland kunnen worden.

Het leven in die geloofsgemeenschap was een feest voor m'n oudste broer: allemaal vaste regels en tradities. Hij voelde zich meteen thuis.

Na twee jaar trouwde hij de dochter van de boer, nadat hij ook Mennoniet was geworden, en inmiddels hebben ze zeven kinderen en is de achtste op komst. Vruchtbare grond dus.

Dat was bij m'n ouders wel anders. Na zes jaar

huwelijk werd hun eerste zoon pas geboren. Vervolgens probeerden ze bijna tien jaar lang wel wat, maar kwam er niets. Of misschien waren ze vergeten hoe dat allemaal ook alweer werkte.

Onverwachts kwam ik de omgeving onveilig maken voor m'n broer. Vier jaar later werd hun jongste zoon geboren.

Mijn broer de Mennoniet heeft alleen maar dochters. Zeker geen zin in zoons.

Inmiddels runt hij de boerderij - en doet dat hopelijk anders dan mijn vader zijn bedrijfje aan huis runde.

Voor de begrafenis van m'n vader is hij wel overgekomen. Zijn vrouw kon niet meekomen, want die was in verwachting. Maar hij had wel drie dochters bij zich. Stille meisjes met lange vlechten.

Ze keken met grote ogen van verwondering naar de wereld om hen heen. Zoals het jongetje in 'Witness' dat voor de eerste keer naar de grote stad ging. Ook toen was er een dode. En ook toen volgden er meer.

Een week na de begrafenis vertrok m'n jongste broer zoals hij dat daarvoor ook regelmatig deed: onaangekondigd. Alleen, nu bleef hij weg. Hij begon op z'n zeventiende aan een wereldreis die nog steeds niet af is.

In het begin backpackte hij naar het zuiden. Om de zoveel tijd kreeg m'n moeder een kaart van hem met een adres waar hij dan inmiddels weer weg was. Na een paar jaar zat hij in Nieuw-Zeeland. Zuidelijker kon hij niet. Daar vond hij werk bij de opnames van, in eerste instantie, low-budget films.

Toen bleek zijn voorliefde voor de rand van de afgrond een verrassende toekomst te hebben. Hij werd assistent-stuntcoördinator, en nog wel voor het derde deel van 'The Lord of the Rings'. Ik zag, toch wel met trots, dat zijn naam bij de aftiteling stond.

M'n moeder hoefde niet zo naar die film om het te zien.

'Dat is niks voor mij, jongen. Geef mij maar "Soldaat van Oranje". Dat is tenminste echt.'

Ik heb toen wel de aftiteling voor haar opgenomen en op haar dvd-speler gespeeld. Ze kon er niet genoeg van krijgen.

'Moet je nou toch kijken. Wie had dat verwacht. Dat had je vader moeten zien. Wat was die dan blij geweest met hem.'

Dat laatste dacht ik eigenlijk niet. Hij had waarschijnlijk zuinigjes en met afkeurende blik gevraagd hoe duur zulke stunts nou waren en of het niet zonder kon. Maar het was prachtig om m'n moeder zo te zien genieten.

Intussen zit m'n jongste broer flierefluitend in New York, te wachten op nieuwe opdrachten.

Elk jaar stuurt hij m'n moeder een kaart - zo'n overdreven glitterkaart - met kerst. De oudste doet dat ook, maar een veel soberder kaart en niet met kerst, maar met Thanksgiving.

Mijn oudste broer heeft sinds zijn huwelijk bij benadering één kind per anderhalf jaar op de wereld gezet. In ideale samenwerking met - of onderworpenheid van? - zijn vrouw, mag ik aannemen.

M'n andere broer zorgt ervoor dat acteurs na een ogenschijnlijk dodelijke val springlevend verder gaan.

Het is bijzonder als je bedenkt dat ze allebei op hun eigen manier bezig zijn met het waarborgen van leven. Dan ik.

2

Ik

E

klein kind

Tja, ik heb het even uit kunnen stellen, maar nu kom ik toch echt aan mezelf toe.

Zoals ik al zei, m'n ouders waren in eerste instantie blij met me door het contrast met m'n oudere broer. Omdat ik makkelijk kon leren, hoopten ze dat ik 'het ver zou schoppen'.

Des te groter was hun teleurstelling toen ik weinig tot geen ambitie toonde.

Mijn moeder had zo'n groot hart, die hield toch wel van me.

Maar m'n vader werd bitter en sarcastisch, zeker toen ik na het havo een mbo-opleiding ging doen: tandtechnicus.

'Als jij je kansen op een stralende toekomst wilt vergooien, moet jij dat weten. Alleen, ik geef er m'n goeie geld niet aan uit,' was zijn reactie toen ik het hem vertelde.

Hij moest natuurlijk wel bijdragen, maar de toon was gezet. Het was ook nog eens een beroep met zeer weinig status.

'En wat denkt je zoon na de middelbare school te

gaan doen?' vroeg zo'n chirurg of professor midden in een van die 'brede maatschappelijke discussies' met m'n vader na de belastingopgave wel eens.

Kijk, dan klonk 'tandtechnicus' niet als iets uitdagends en opwindends met grandioze carrièreperspectieven.

Ik hoorde m'n vader het ooit in een gesprek ophogen tot 'tandprotheticus'.

'Dat is zoiets als tandarts.'

Dat klonk. Daar kon je mee voor de dag komen tegenover je dure cliënten. De lafaard.

Als klein kind speelde ik al veel in m'n eentje.

'Je lag dan op een speelkleed midden in de huiskamer en daar kon ik je rustig laten liggen,' vertelt m'n moeder nog wel eens met blijde blik.

'Jij had geen box nodig. Je broers wel. Die kropen alle kanten op. Wanneer ik tussendoor even binnen kwam, dan straalde je naar me. En als ik dan de kamer weer uitging, begon je niet te piepen, zoals die andere twee. Bij hen riep je vader wel eens van boven of het zachter kon, want zo kon hij niet werken. Met het gevolg dat ik een tijdje sussend met een huilend kind op de arm heen en weer liep.'

Die lijn van alleen zijn zette ik op de basisschool voort. Trouwens, al had ik het gewild, vriendjes mochten we nauwelijks mee naar huis nemen. Dat was te veel lawaai voor m'n vader en drukte voor m'n moeder.

Ze was stand-by voor koffie en thee boven, met een biscuitje als er klanten bij m'n vader waren. Zij liet de mensen binnen, dus zij wist ook of het koffie of thee moest zijn.

M'n vader klingelde dan met zo'n belletje bovenaan de trap. Dan rende m'n moeder vanachter de naaimachine weg, moest snel de spelden tussen haar lippen vandaan plukken en als een haas naar boven rennen met de vereiste versnapering. Af en toe hoorde ze het belletje niet, maar wij waren er zo op ingesteld dat we haar dan waarschuwden.

'Ma, pa wil koffie.'

'Ach kind, goed dat je me eraan herinnert. Ik hoorde het niet, want ik was net druk bezig m'n portemonnee te zoeken. Joost mag weten waar ik die nou weer gelaten heb. Tegenwoordig ben ik van alles kwijt. Als m'n hoofd niet vast zat, zou ik dat zelfs kwijt raken. Ik ga maar gauw. Nou weet ik ook niet meer of het koffie of thee moest zijn. Dat zul je altijd zien. Goed, dan neem ik maar allebei mee.'

Terwijl het belletje voor de tweede keer rinkelde, haastte ze zich naar boven.

Op den duur speelde ik veel op m'n kamer. Die was op zolder. Op de eerste etage van ons huis (gewoon een tussenwoning) was de voorkamer m'n vaders kantoor. Het kleine voorkamertje was voor zijn archief. Aan de achterkant lag de slaapkamer van m'n ouders en het kleine kamertje was bestemd voor m'n oudste broer.

Toen m'n broertje kwam, werd de zolder in tweeen gedeeld. M'n kamer werd toen twee keer zo klein, maar dubbel gezellig, vond ik. Daar zat ik vaak te lezen, of muziek te luisteren of wat te computeren.

Een oom schoof af en toe wat afgedankte computerspullen en andere 'electronica' naar ons door. Die kwamen altijd bij mij terecht, want ik kon er wat mee.

M'n oudste broer werd altijd ongeduldig als iets het niet deed. Zijn idee van repareren was er een rotschop tegen geven.

Dus al snel kwamen dergelijke spullen niet meer via hem, maar rechtstreeks bij mij. Ik bleef er net zo lang aan pielen en prutsen tot alles het weer deed.

Wat me dat later heeft opgeleverd is onvoorstelbaar.

Na de basisschool was er de teleurstelling voor m'n ouders dat het voor mij aan het einde van het eerste jaar 'slechts' havo werd en geen vwo. Maar toen ik in de bovenbouw het profiel 'natuur en techniek' koos, kregen ze weer hoop.

'Daar moet je echt wel wat voor in je mars hebben en je kunt er veel kanten mee op,' verklaarde m'n vader, toch nog enigszins gerustgesteld dat het uiteindelijk goed zou komen met me.

Hij besefte niet dat ik het koos, omdat ik er niet veel voor hoefde te doen. Ik begreep het gewoon.

Er was nog een voordeel: de leerlingen die dat profiel kozen waren, zoals mijn mentor toen weleens zei, 'meer vakgericht en minder persoonsgericht'. Een vriendelijke manier om te zeggen dat iedereen z'n eigen gang ging en zich weinig van medeleerlingen aantrok.

Af en toe kwam er wel eens iemand mee naar huis of ging ik na schooltijd naar een ander toe, vooral om computerspelletjes te spelen. Maar die deed ik ten slotte ook vrijwel altijd alleen.

Mijn klasgenoten hielden van games met veel geweld. Ik van slimme, waarbij je een aantal stappen vooruit moest denken. Zij konden niet tegen hun verlies en ik won meestal. Zelfs als ik hun spel meespeelde.

Was ik eenzaam? Nee, zo voelde dat beslist niet. Eenzaam was ik pas na Stella, m'n dochtertje. Toen zij dood was.

Ze zeggen wel eens van een gebeurtenis: het was alsof de tijd stilstond. Dat was niet zo toen ik besefte dat ze echt niet meer leefde. Aan de secondewijzer zag ik dat de tijd verstreek. Maar dat moment bleef. Het heeft alles erna en ervoor gekleurd.

Waarom willen m'n hersens steeds de tijdsprong daar naartoe maken? Ik had me nog zo voorgenomen rechtlijnig mijn verhaal te doen. Goed, ik vertel eerst tot aan Martha, m'n ex-vriendin, en daarna komt Stella vanzelf.

Terug naar m'n school en naar de vraag of ik me toen eenzaam voelde. Nee, dus. Ik was gewoon niet zo gehecht aan anderen en wel gehecht aan m'n eigen wereld.

Het is als met landen. Je hebt nou eenmaal van die landen die zitten zo vast aan elkaar, die vormen een continent. Ze trekken veel met elkaar op, werken samen, vechten af en toe en sluiten dan weer vrede met elkaar.

Er zijn ook schiereilanden. Van die twijfelaars. Zo van: 'ik wil wel op mezelf, maar eigenlijk wil ik er ook een beetje bijhoren'.

En dan heb je eilanden. Kennelijk heb ik aanleg voor eiland, zo'n rond eiland met water eromheen. Daar is niks mis mee.

Ik deed me eigenlijk een beetje denken aan die scène in de film 'Life of Brian', waar Brian een grote mensenmenigte opzweept met de kreet 'You're all individuals!' Dat brult iedereen hem enthousiast en massaal na: 'We're all individuals!' En dan hoor je onmiddellijk daarna een dun stemmetje van een onopvallend mannetje zachtjes zeggen: 'I'm not'.

Dat zou ik kunnen zijn. Alleen zou ik het waarschijnlijk niet zeggen, maar stilletjes bij mezelf denken.

F

havo

Op de havo kwam ik erachter wat ik wilde. Of liever, in de tijd die ik in en om school doorbracht, leerde ik mezelf kennen.

In m'n groep was het gelukkig redelijk normaal dat we weinig met elkaar optrokken. Ik merkte dat ik wel wilde samenwerken - en dat ook kon - als het nodig was en ik duidelijk een aparte taak had. Verder voer ik het liefst m'n eigen koers, als een soort solozeiler.

Bij loopbaanoriëntatie werd m'n mentor helemaal wanhopig van me. Iedereen wist wat hij - er zaten geen meisjes in onze groep: natuur en techniek - na het examen wilde gaan doen: informatica. Dat was temeer reden voor mij om het niet te willen.

Maar wat dan wel?

Uit m'n hobby's kwam niet zoveel. Ja, ik hield van muziek, maar niet van popmuziek. Ik luisterde graag naar jazz en dan ook nog eens klassieke jazz. Wel bijzonder voor iemand van zestien, maar niet echt marktveroverend.

Verder was ik praktisch ingesteld, sleutelde wel

eens aan apparatuur met geluid en beeld, wist hoe computers er van binnen uitzagen. Repareerde een en ander, maar ontwierp niets. Las niet veel en zeker geen romans.

'Je hebt geen creatieve vonk,' concludeerde m'n mentor en keek alsof niemand daar wijzer van werd.

Na verschillende beroepsinteressetests bleven er drie hbo-opleidingen over: communicatie, informatica, film en televisie.

Van de eerste kreeg ik spontaan kippenvel. De tweede had ik al afgekeurd. De derde leek me erg moeilijk, vooral door de afwezigheid van een 'creatieve vonk'.

M'n mentor versomberde zienderogen in dat gesprek met mij.

'Ja, nou weet ik het ook niet meer. Hier staat als laatste mogelijkheid iets van tandtechniek. Maar ja, dat is wel een mbo-opleiding. En ik weet niet precies wat dat voorstelt. Misschien moet je toch eens inschrijven voor een gesprek met de schooldecaan. Die kan je vast meer vertellen.'

Het mooie is, wat de decaan me vertelde klonk goed: in een tandtechnisch laboratorium hulpmiddelen maken, met allerlei materialen werken, computers daarbij gebruiken. Samenwerken met tandartsen en kaakchirurgen - nou ja, hun opdrachten verwerken. Als het klopte wat je had gemaakt, was iedereen gelukkig en vooral de patiënt.

De decaan was een wijs man. Hij zag dat de opleiding me wel aansprak.

'Bespreek het maar eens met je ouders,' stelde hij voor. 'Misschien is het goed om er eerst met je moeder over te praten. Vertel haar hoe belangrijk tandtechnici zijn. Hoe gelukkig mensen zijn met een goede prothese of brug. En daarna vertellen jullie het aan je vader.'

Alsof hij wist hoe het er thuis aan toe ging.

Het sprak m'n moeder inderdaad erg aan dat ik er zin in had om mensen van hun mondpijn te helpen verlossen.

'Jongen, als je dat wilt gaan doen, ben ik trots op je.'

M'n vader was een moeilijker verhaal. We hadden het er 's avonds tijdens het eten over. Hij liep rood aan van kwaadheid.

'Besef je wel dat dit maar een mbo-opleiding is? Heb ik daar al die jaren voor krom gelegen? Wat heb ik in hemelsnaam aan een zoon met zo weinig ambitie?'

'Ja maar, man,' zei m'n moeder, 'wees blij dat hij weet wat hij wil en dat hij op deze manier mensen wil helpen. Vind je dat niet mooi?'

'Dat kan hij ook met een hbo-opleiding. En misschien nog veel beter. Waarom doet ie dat niet?'

'Hbo-opleidingen liggen niet hier in de buurt. En als die jongen dit nou graag wil. Waarom zou je dat dan in de weg staan? Zo kan hij nog een tijdje thuis blijven. Gezellig. Wij worden ook steeds ouder.'

Wat dat laatste ermee te maken had, wist ik niet, maar mijn moeder gebruikte het wel vaker om haar zin te krijgen. Dat van 'hij wil thuis blijven wonen' was best slim van haar, want zo herinnerde ze m'n vader er aan dat de oudste zoon kwaad het huis uit was gelopen en ik dat ook kon doen.

M'n broertje was intussen van tafel verdwenen. Als gesprekken zo heftig werden, had hij er niets mee en vertrok hij naar zijn kamer.

Misschien hielp dat om m'n vader over de streep te trekken. Zo waren alleen mijn moeder en ik er getuige van dat hij toegaf.

'Vooruit dan. Alleen, reken er maar niet op dat ik in je studiekosten bijdraag. Als jij je kansen op een stralende toekomst wilt vergooien moet jij dat weten. Maar ik geef er m'n goeie geld niet aan uit. Het is jouw keuze. Niet de mijne. Dus doe je het maar van je studietoelage en als je verder nog wat nodig hebt, werk je er maar voor.'

Met die woorden verdween hij van tafel.

M'n moeder, die aan mijn kant zat, kneep me geruststellend in de arm.

'Maak je daar niet ongerust over, jongen, dat zal zo'n vaart niet lopen, dat komt vast wel goed.'

G

vervolg'studie'

Het advies om de opleiding voor tandtechnicus te gaan doen, was een schot in de roos.

Havo was met hangen en wurgen, volgens mijn ouders, gelukt. Ik was er naar mijn gevoel heel soepeltjes doorheen en vooral langs gegleden.

Op m'n zeventiende trok ik de schooldeur achter me dicht met een havo-diploma en een cijferlijst waarop vooral zessen stonden en twee achten: natuurkunde en wiskunde.

Ik ben nooit terug geweest, ook niet op reünies.

Af en toe kwam ik nog iemand van school tegen. We keken elkaar aan, zagen wederzijds de herkenning en keken dan als op afspraak langs elkaar heen. Dat was veel makkelijker dan een tijdje tegenover elkaar staan zoeken naar lege woorden om wat tijd te vullen.

De vier jaar mbo liepen op rolletjes. Het mbo, tenminste wat ik ervan heb ervaren, is prima geschikt voor eenlingen. Ik kwam het gebouw binnen, ging naar de lessen, leverde m'n werkstukken op tijd in en liep weer naar buiten.

'Uw zoon komt moeilijk tot samenwerken, vindt het kennelijk niet gemakkelijk zich sociaal ten opzichte van de andere leerlingen op te stellen,' hadden docenten bij het havo over mij gerapporteerd.

'Hij toont grote mate van zelfstandigheid, hanteert een goede werkplanning en vaart daarbij zijn eigen koers,' werd het bij het mbo. Een opleiding naar m'n hart.

Aan het einde van het eerste jaar koos ik voor de specialisatie kroon- en brugwerk.

Bij de andere richting, prothese, kreeg ik zo'n beeld van alleen maar oude mensen en dat trok me helemaal niet. Daar zou ik overigens weinig mee te maken hebben, want de tandarts moest die prothesen aanmeten, maar toch.

En elke keer als m'n moeder van de halfjaarlijkse gebitscontrole bij de tandarts terug kwam met de boodschap 'weer niks aan de hand', vroeg ik me af hoe oud mensen dan wel moesten zijn om een prothese nodig te hebben. Dat maakte 'prothese' voor mij nog minder aantrekkelijk. Dus werd het kroonen brugwerk.

Zowel de opleiding als m'n stageplek bij een tandtechnisch laboratorium waren vlak bij huis.

Mijn moeder had het goed aangevoeld, ik bleef thuis wonen.

Achteraf denk ik dat we veel aan elkaar gehad hebben, m'n moeder en ik. Overdag zagen we elkaar zo tussendoor. We vonden het altijd prettig elkaar tegen te komen en waarheden als koeien uit te wisselen.

'Zo jongen, hoef je niet naar school vanochtend?'

'Nee, ma, vanmiddag pas. Maar morgenochtend heb ik stage, dus dan moet ik vroeg op.'

'Vanavond dan maar vroeger naar bed dan gisteravond, want toen was het volgens mij wel erg laat dat je het licht uitdeed. Wil je koffie? O, daar hoor ik het belletje dat je vader koffie wil. Wacht, ik schenk jou wel eerst een kopje in. Alsjeblieft, jongen, drink maar lekker op.'

Dat waren van die geweldige dooddoeners, met als enige boodschap dat we het goed hadden met elkaar. En dat hebben we nog, al weet ze nu niet meer alles.

Na het avondeten ging ik naar m'n kamer en zetten mijn ouders zich ieder in hun eigen fauteuil voor een zwijgzame avond televisie kijken, met af en toe zuinig commentaar van m'n vader.

Meestal ging ik op m'n kamer muziek luisteren en intussen een beetje computeren. Chatten hoefde voor mij niet zo. Dat vond ik van dat opgeklopte en opgefokte gedoe. Al die meiden die zich aanbieden en de jongens en ouwe kerels die willen versieren. Van mij mochten ze, maar ik had er geen zin in.

Ik zat vooral opnamen van oude jazz op te sporen en te downloaden. En als je eenmaal begon met doorklikken, was je snel een hele avond bezig.

Trompet en saxofoon zijn mijn favoriete instrumenten, en van die twee trompet eigenlijk het meest. Spelen doe ik niet: dat is weer het gemis van die 'creatieve vonk', weet je wel.

Mijn lievelingsnummer is nog altijd 'It never entered my mind', zoals Miles Davis het op de trompet speelt. Ik vond het al prachtig lang voordat Stella overleed.

Ik weet nog precies dat ik het voor de eerste keer op de radio hoorde. Het raakte me diep, de mistroostige trompetklanken die een breekbare draad sponnen van onverwacht verdriet en de daarop volgende wanhoop. Sindsdien is het zozeer iets van mezelf geworden, dat ik merk dat ik het bijvoorbeeld ga neuriën als ik nadenk.

Ben Webster en Coleman Hawkins hebben het later op saxofoon gespeeld. Ook mooi, maar meer voor mensen die hun verdriet romantiseren. In hun versie zitten er voor mij teveel tierelantijnen aan de melodie.

Het is net als franje aan een begrafeniskleed. Dat hoort niet, vind ik, dat moet strak en zwart zijn, juist zonder franje.

Omdat m'n oudste broer het huis uit was gegaan, kon mijn broertje van de zolder naar het achterkamertje op de eerste etage.

'Dan hoef ik niet steeds naar die jankmuziek van

hem te luisteren,' reageerde hij blij.

Mijn ouders vonden het ook een goede oplossing. Toen hij naar het voortgezet onderwijs ging, konden ze zo beter in de gaten houden of hij wel op tijd naar bed ging.

'Ik zou niet willen dat je net als je oudere broer beneden je capaciteiten werkt,' stelde m'n vader vast.

De zolder was daardoor dus een rijk voor mij alleen.

Aan het einde van de avond was m'n vader gewend nog even wat werk klaar te leggen voor de volgende dag. Dan daalde ik de twee trappen af en ging nog even bij m'n moeder beneden zitten.

Onderweg kwam ik af en toe m'n vader tegen op weg naar boven. We zeiden dan eigenlijk nooit wat tegen elkaar en wisten precies wie naar welke kant uitweek om de ander soepel te omzeilen.

Ken je dat, een stilte op die manier met iemand delen dat het weldadig aandoet? Met Martha heb ik dat later een tijdje gehad. Met m'n moeder altijd.

Het kwam als vanzelf aan het uiterste einde van de dag, als m'n vader uit beeld was.

Ze draaide dan de lichten wat naar beneden. Zachtjes kwam dan de schemer, als een slechtziende die aarzelend binnenkomt maar gerustgesteld bekende dingen aanraakt. Zo zaten we een tijdje, tot ik opstond.

'Slaap lekker, mam.'

'Slaap lekker, jongen.'

Overdag was ze voor mij 'ma', 's avonds was het 'mam'. Dat klonk warmer. Voor haar was ik altijd haar 'jongen'.

Het was elke avond de alledaagse tederheid die het bijzondere te boven ging.

Er zijn weinig dingen gebleven, maar dat wel.

H

het huis uit

M'n vader heeft dus niet meegemaakt dat ik het mbo-diploma tandtechnicus, uitstroomrichting kroon- en brugwerk, kreeg uitgereikt. Kort daarvoor 'zakte hij voorgoed door z'n hoeven', zoals mijn oudste broer het uitdrukte.

De teraardebestelling was even warmhartig als m'n vader altijd was geweest: weinig volk, weinig mensen, weinig woorden. Alleen mijn moeder zei dat ze hem zou missen.

Naast de begrafenis van m'n vader werden ook de andere zakelijke dingen door m'n oudste broer geregeld. In goed overleg, tot mijn verbazing.

'Wat vinden jullie?' vroeg hij regelmatig.

Ik kende hem eigenlijk alleen maar van: 'Bemoei je er niet mee!'

Hij had duidelijk bijgeleerd. Door Canada, of door z'n geloof, misschien door z'n vrouw, of heel misschien wel door al die dochters? Hoe dan ook, hij besprak de dingen met ons allen en was zomaar geduldig en voor rede vatbaar.

M'n moeder mocht in het huis blijven wonen, wij

zagen af van ons kindsdeel tot ze overleden zou zijn. Ze was in één klap ontzettend rijk.

Een levensverzekering kwam met een astronomisch bedrag los en na een paar maanden - als m'n vader z'n pensioen zou hebben bereikt - kon ze aan al die lijfrente-appeltjes beginnen die dan binnen kwamen rollen. Jammer voor m'n vader dat hij, toen hij z'n schaapjes zo comfortabel op het droge had getild, zelf kopje onder ging.

'Dagoberta' noemden we m'n moeder wel schertsenderwijs als we dachten dat ze het niet hoorde.

Ik hoor haar lach nog door het huis klateren toen ze het toevallig opving.

Wij schrokken eerst, maar toen we merkten hoe ze het opvatte, schaterde onze lach er van opluchting extra hard achteraan.

Ze was de eerste weken na het overlijden van haar man erg flink. Zelfs toen mijn jongste broer kort na de begrafenis zomaar op een ochtend was verdwenen, reageerde ze rustig.

'O, die komt wel terug, dat zul je zien. Hij loopt vast niet in zeven sloten tegelijk,' zei ze alsof ze het had zien aankomen.

Het laatste klopte uiteindelijk, het eerste niet. Het enige dat ze tot nu toe van hem gezien heeft is een jaarlijkse kerstkaart, en af en toe een adreswijziging.

M'n oudste broer ging na een paar dagen al terug.

'Ik heb een farm te runnen, you know,' legde hij

het vanzelfsprekende nog maar eens aan ons uit.

Na mijn moeder weer stevig omarmd te hebben - deze keer hoefde m'n moeder z'n kraag niet omlaag te doen, dat stoere had hij niet meer nodig - vertrok hij met al z'n vrouwen.

Het leek of de flinkheid van m'n moeder na mijn diploma-uitreiking haar grens had bereikt. Daarna kon ze niet verder. Ze was één hoopje ellende. Haar levenslucht was donkergrijs en laag.

'Het leven heeft zo geen zin, zonder je vader. Voor mij mag het net zo goed afgelopen zijn.'

Soms brak er een enkel lichtstraaltje door dat dichte dek.

'Ik ben blij dat ik jou nog heb om voor te zorgen.'

Het toeval wilde dat ik voor nog een jaar op school had bijgetekend. Ik had besloten de specialisatie prothese toch te doen. Dat leek me verstandig, want door voortdurend betere computerprogramma's en CAD/Cam machines deden tandartsen steeds meer kroonwerk zelf. Daar kwam geen laboratorium meer aan te pas. Dus, wilde ik werk houden, dan moest ik toch aan de kunstgebitten.

Dat jaar had ik niet zo veel les en daardoor extra tijd voor m'n moeder.

Het klinkt misschien vreemd, maar we waren meer een in jaren zeer ongelijk stel, zoals we onze tijd en haar verdriet deelden, dan moeder en kind.

Eerlijk gezegd vond ik het heerlijk om haar te

troosten. Eigenlijk ging dat ook vanzelf.

Wat ze aan haar man miste, was de zorg waarmee ze hem altijd had omringd. Hij had wel het idee dat hij haar beschermde - en financieel was dat natuurlijk ook zo - maar gevoelsmatig was het andersom.

Waar zij de wereld haar volle vertrouwen schonk, wantrouwde mijn vader diezelfde wereld tot in de kleinste details. Ja, inderdaad, tot drie cijfers achter de komma.

Zij suste zijn angst, elke keer weer, als bij een klein kind dat tegen beter weten in steeds maar weer bang is in het donker.

Haar zorg richtte ze daarna op mij. Soms op het overdrevene af. Daardoor heb ik Martha leren kennen.

Ik liet me die zorg overigens best graag aanleunen. Het voelde veilig.

Na een jaar bleef ze wel voor me zorgen, maar ondernam ze ook meer zelf. Ze kon weer gaan genieten.

Ze genoot helemaal toen ik bij Martha introk. Daarmee had ze het gevoel dat ik een andere veilige ankerplaats had gevonden.

Daarna voelde ze zich vrij om het huis te verkopen en een service-flat te kopen. En dat was bepaald geen kleine flat! Het was meer een senioren-penthouse.

Op de twaalfde en bovenste verdieping van RosenStaete was een luxe vierkamer-appartement te koop. Schitterend uitzicht, de hele stad lag aan haar voeten.

Het was het enige appartement op die etage, met verder een formaat hal die je gelijk een rijk gevoel gaf als je er uit de lift stapte.

Een tijdje geleden, toen ze net een scootmobiel kreeg, omdat ze toch slecht ter been werd, heeft ze daar geoefend.

'Ik wil er wel een die hard gaat. Niet zo'n sloom sukkelding.'

Oefenen was dus wel nodig.

Het was prachtig om te zien hoe m'n moeder daar rondjes reed, met haar neus op het stuur door die kromme naairug, maar met de triomfantelijke blik van een Formule-1-coureur die uit poleposition start.

Aan m'n moeder zag ik hoe iemands dood bevrijdend kan werken.

3

Martha en Stella

I

sokkensjonnie

Martha en ik kregen een band met elkaar door mijn sokken. Dat kwam zo.

Op m'n tweeëntwintigste was ik klaar met de specialisatie 'prothese' en ging ik fulltime werken. Dat was op hetzelfde lab waar ik stage had gelopen. Ik vond het werk heerlijk. Je moest heel nauwkeurig werken, anders kreeg je alles terug van de tandarts of de kaakchirurg. Bovendien was het gevarieerd werk.

Als ik al aan mensen vertelde dat ik tandtechnicus was, kregen ze gelijk een slaperige blik in de ogen en begonnen ze over iets anders.

'Wat vind je daar eigenlijk leuk aan?' vroeg iemand dan wel eens.

'Nou,' zei ik dan in m'n enthousiasme, 'je werkt met verschillende en steeds nieuwe materialen. En je moet goed met allerlei computerprogramma's kunnen werken.'

Vervolgens vulde ik nog aan uit de wervende folder van het tandtechnisch laboratorium: 'Het is echt dynamisch en innoverend werk.'

Maar dan was ik de aandacht allang kwijt.

M'n werk hield ook in dat ik bij het uitvoeren van opdrachten een paar tandtechnische medewerkers aanstuurde, zoals het in m'n taakomschrijving stond.

Eerlijk gezegd had ik niet zo veel met die mensen, maar ik zorgde wel dat ze hun werk zorgvuldig uitvoerden. En de keren dat specialisten hun tevredenheid over ons werk meldden bij het lab - wat best regelmatig voorkwam - gaf ik het ook aan hen door.

M'n vader had dat moeten meemaken: specialisten, met wie hij in z'n kantoor zo gretig brede maatschappelijke onderwerpen besprak, lieten zich lovend uit over mij.

Doordat ik opdrachten moest afhandelen, had ik ook regelmatig overleg met de mensen van de administratie.

Op een dag hoorde ik luid gelach uit het kantoortje komen en werd er op het raam getikt naar mij in het lab. Ik moest komen.

Er leek haast bij te zijn, dus ik liet m'n werk even liggen en liep naar binnen.

De drie vrouwen van de administratie - de 'dames' zoals we op de werkvloer over hen praatten - straalden naar me. Overigens, m'n baas heeft zich een keer de term 'hertenkamp' voor de administratie laten ontvallen. Dat heeft hem een week ijzige stilte bezorgd.

'Wil je even je broekspijpen omhoog trekken?' vroeg de telefoniste met de hoorn in haar ene hand en de andere eroverheen.

'Waarom?' vroeg ik.

'Doe maar even snel, ik heb je moeder aan de lijn,' zei ze.

Ik denk dat ik het deed, omdat ze m'n moeder noemde. Terwijl de andere twee vrouwen achter hun hand zaten te proesten van het lachen, trok ik m'n broekspijpen tot boven m'n enkels.

'Nee, het is goed, hoor,' zei de telefoniste in de hoorn. 'U hoeft zich niet ongerust te maken, hij heeft een zwarte broek aan met zwarte sokken eronder.'

Toen smeet ze de hoorn erop, want ze kon haar lachen niet meer inhouden.

Het ergste was, ik was zo verbaasd dat ik nog steeds midden in de kantoorruimte met m'n broekspijpen omhooggetrokken stond.

'Wat is er, wat is er?!'

Iedereen in het lab kwam op het luide lachen af dat toen losbarstte. Onderbroken door veel gelach, kwam het er uit: mijn moeder had naar kantoor gebeld.

Ze vertelde de telefoniste dat ik 's ochtends wel de broek en het overhemd, maar niet de sokken had aangetrokken die zij voor me had klaargelegd. Nou was ze bezorgd of ik wel passende sokken aan had en of de telefoniste zo vriendelijk wou zijn even bij mij te kijken.

'Ik wil niet dat hij er voor schut bijloopt, begrijpt u. En zeker niet op z'n werk.'

Hard gelach bij iedereen en van een enkeling ook een meewarige blik in mijn richting.

Vanaf dat moment werd ik achter m'n rug 'sokkensjonnie' genoemd. Zodra ik maar ergens in de werkruimte ging zitten, merkte ik dat anderen automatisch naar m'n sokken keken.

Ik was nog even van plan een keer van die felgekleurde kindersokken aan te trekken. Had je ze dan moeten horen! Maar dat heb ik toch maar niet gedaan. Zo was het niet lastig.

'Ja, jongen,' zei m'n moeder toen ik het er 's avonds met haar over had, 'ik liep er echt over te piekeren. Ik wil wel dat je er goed verzorgd bijloopt. En als ik het niet in de gaten houd, wie doet dat dan voor je?'

'Ik?' vroeg ik.

'Ja, dat is wel zo,' zei ze weifelend, alsof ze me daar niet helemaal in vertrouwde.

Kwalijk nemen kon ik het haar niet. Ze had alleen mij nog om voor te zorgen.

Op een dag kwam ik het kantoortje in en zat Martha er als de nieuwe telefoniste.

'Dit is 'm van die sokken,' zei een van de andere twee lachend.

Het verhaal was dus al verteld. Martha lachte niet mee, keek me strak aan alsof ze in één keer helemaal naar binnen wilde kijken en we gaven elkaar een hand.

Martha was de enige daar die nooit ook maar in de richting van m'n sokken heeft gekeken. Behalve die ene keer vanwege Stella, maar dat was op mijn verzoek.

In de lunchpauze kwam Martha tegenover me zitten en we deden er beiden het zwijgen toe. We waren twee non-communicerende vaten die elkaar lagen. Niet dat onze stiltes hetzelfde waren. Mijn zwijgen werd uit zuinigheid met taal geboren. Zoals mijn vader omsprong met geld, ging ik om met woorden. Het kwam dikwijls gewoon niet in me op om wat te zeggen.

Martha had zoveel pijn geleden dat ze er niet over kon praten. Daardoor zei ze ook verder niet veel. Stilte schept stilte.

Wat het leven met haar gedaan had, zag ik de eerste keer dat we elkaar in het gezicht keken: lijnen van leed, gelaagd als een kaalgeslagen bergwand.

Ik wilde het niet proberen te begrijpen, wist onmiddellijk dat dat niet kon, maar het roerde me diep. Ik heb wat met verdriet, ook met dat van anderen.

We voelden ons vertrouwd bij elkaars stilte, temeer omdat we daardoor die van onszelf konden handhaven.

De verdere kennismaking liep ook minder uitbundig dan die van veel andere stellen, neem ik aan.

Samen uit eten was niet zo'n geslaagde onderneming.

Wij zeiden niet veel aan ons tafeltje voor twee. Anderen deden dat meestal wel en keken dan intussen steeds meer naar ons in de veronderstelling dat we wel ongelukkig met elkaar moesten zijn, omdat we zo zaten te zwijgen. Dat zaten we wel, maar we waren beslist niet ongelukkig. Wij zaten er niet mee.

Vrienden hadden we eigenlijk ook niet. We waren niet bepaald een aanwinst voor feestjes, dat begrijp je.

Het gebeurde als vanzelf dat ik veel naar Martha ging. Zij had een vierkamerflat. Daar zaten we meestal, met af en toe een bioscoopje als onderbreking.

Bij Martha heb ik allerlei dingen van de huishouding geleerd, die ik met veel plezier deed. Strijken, koken?

'Laat mij maar doen,' zei ik, 'als je me maar vertelt hoe het moet.'

Dat liet ze dan zien.

'Fijn dat je iemand gevonden hebt, jongen,' reageerde m'n moeder blij toen ik over Martha vertelde.

Haar kennismaking met Martha viel me erg mee. Ze praatte zelf honderduit en wij rondden het gesprek af achter de komma: naar boven. We voelden ons alledrie op ons gemak.

Nadat ik Martha naar huis had gebracht, zat m'n moeder nog op me te wachten.

Ze omarmde me en zei: 'Gefeliciteerd, jongen.

Wat een stevige vrouw is dat, als een rots.'

'Ja,' zei ik, hield haar even stevig vast en bedacht hoe mooi een gelaagde bergwand kan zijn.

In het land der liefde kon ik eerlijk gezegd wel een inburgeringscursus gebruiken. Martha was m'n eerste relatie. Ik niet van haar. Anderen hadden sporen getrokken die je beter niet terug kon volgen. Als je probeerde die deur te openen trof de nachtelijke kou je vol in het gezicht.

Natuurlijk wist ik wel wat van Martha. Ouders omgekomen bij auto-ongeluk. Martha was zes, zat op de achterbank te jengelen om een snoepje. Moeder kon het niet vinden.

'Hou nou eindelijk eens je mond!' draaide vader achter het stuur zich boos om en reed daardoor tegen een boom. Ouders dood, Martha overleefde.

Vanaf dat moment heeft Martha inderdaad vrijwel steeds haar mond gehouden en niets meer voor zichzelf gevraagd.

Het pleeggezin, waar ze gewend waren het juist altijd met elkaar uit te praten, was een gruwel voor haar.

Op haar zestiende vertrok ze, werd door allerlei vriendjes opgevangen en misbruikt. Werd via jeugdzorg en trajectbegeleiding geholpen. Verhuisde en trok in bij een vriend.

Van dat alles heeft ze littekens op lichaam en ziel overgehouden, en een vierkamerflat.

Martha is twee jaar ouder dan ik, maar wat levenservaring betreft zou ze de leeftijd van m'n moeder kunnen hebben.

Dat waren overigens niet de problemen die me de eerste keer dat ik met Martha vrijde bezig hielden.

In blaadjes had ik ooit gelezen dat mannen in tweeëneenhalve minuut een orgasme kregen en vrouwen in twaalf.

Mijn vraag was, wat deed ik in de tussenliggende negeneneenhalve minuut? Ik had daar geen kant-en-klaar antwoord op.

Ik denk dat ik royaal binnen de tweeëneenhalve minuut bleef, zeker de eerste keer, maar daarna duurde het en duurde het bij Martha.

'Laat anders maar,' zei ze op een bepaald moment. 'Voor mij hoeft het niet zo, klaarkomen. We kunnen wel gewoon een beetje bij elkaar liggen.'

Dat deden we. Zelfs daar hadden we ieder onze eigen stilte.

Maanden later werd die stilte pas doorbroken, en ook maar één keer.

We hadden 's avonds naar de film 'Don't Look Now' gekeken. Mensen getekend door de dood van hun dochtertje. De film greep ons allebei sterk aan.

Of het daardoor kwam weet ik niet, maar toen we naar bed gingen liet ik een lamp branden en keek ik naar Martha's littekens. Ik raakte ze allemaal voorzichtig aan, gaf ze één voor één een naam, mijn naam: de schuine streep, de lange lijn, de ss, de streepjescode, de schelp, het stippelschilderij.

Ik merkte dat ze tot rust kwam en dat het ons beiden opwond. Toen ik in haar kwam, reisden we eindelijk samen op dezelfde golf.

We reisden lang en ver, met dezelfde bevrijdende overgave als Donald Sutherland en Julie Christie in de film die we zojuist gezien hadden, nadat ze via een oude blinde vrouw contact hebben gehad met hun omgekomen dochtertje.

Het was alsof in Martha een ouder geworden, stilgevallen meisje zich eindelijk weer durfde uiten.

De oerkreet die ze toen slaakte, zal me altijd bij blijven. Ik hou niet van romantiek, maar ik denk nog steeds dat toen Stella is verwekt. Het zou zo maar kunnen.

De volgende dag, voordat we naar het lab gingen, legde Martha even haar hand op mijn hand. Ze keek me aan en in die blik las ik het: ik had één keer diep naar binnen mogen kijken. Die ervaring heeft zich niet herhaald.

J

aankondiging

Een paar maanden later wist Martha het zeker en toen vertelde ze het me: ze was zwanger. Ik wist het meteen ook zeker: dit kind, ons kind - niet te verwarren met het kind, dat komt straks - zou mijn leven compleet veranderen.

Ik voelde me blij, opgewonden en zag er zenuwachtig naar uit, zoals een leerling vol spanning uitkeek naar z'n eerste schooluitstapje: een geheel nieuwe wereld ging zich onthullen.

In m'n blijdschap deed ik de volgende dag iets wat ik ooit overwogen had, maar nog niet had gedaan. Ik denk dat ik het deed als boodschap aan Martha: nu wordt alles anders, nu word ík anders, nu kan ik meer van me laten merken. Niet beseffend dat Martha misschien m'n oude 'ik' fijner vond om mee te leven.

De laatste sinterklaasviering van het lab voordat Martha kwam, had ik van de toenmalige telefoniste als surprise twee paar Donald Duck-sokken gekregen met het volgende gedicht:

Sint vraagt zich wel eens af wat je voelt en denkt,
ook als hij je deze bijzondere sokken schenkt,
meestal draag je van die nette, maar ook verschrik-kelijk saaie,
sta jij, vraagt Sint zich af, weleens in lichterlaaie?
Als dat zo is doe Sint dan een plezier
en draag in dat geval deze vrolijke sokken naar hier,
dan zien we aan je sokken hoe je je voelt.
Sorry, sokkensjonnie, dit is echt niet vervelend be-doeld,
maar aan je gezicht kunnen we zo weinig zien,
straks wel aan je sokken, misschien?
En als het eerste paar begint te ruiken,
kan je snel het tweede paar gebruiken.
Hopelijk is dit cadeautje helemaal raak
en draag je ze erg vaak.

Iedereen moest hard lachen toen ik de sokken uitpakte en omhoog hield.

'Nu aantrekken!' riep iemand.

'Jaaaa!' reageerde iedereen.

Dat heb ik toen toch maar niet gedaan.

'Als ik me een keer echt ontzettend blij voel, trek ik ze aan, dat beloof ik,' probeerde ik me eruit te redden.

'Nou, dan kunnen we lang wachten,' mopperde de eerste.

De telefoniste redde de situatie door een surprise met gedicht voor iemand anders te pakken.

Die sokken trok ik aan naar het werk de dag nadat Martha me 's avonds had verteld dat ze zwanger was en het nieuws 's nachts bij mij was ingedaald.

Martha wist ook van die sokken, maar had niet gezien dat ik ze aandeed.

Die ochtend ging ik het kantoortje binnen, waar Martha met haar gezicht naar me toe al aan het bellen was. De twee dames waren hun computers aan het opstarten en zaten intussen druk met elkaar over de tv van gisteren te praten. Ik tilde m'n broekspijpen iets op, keek naar Martha, vervolgens naar m'n sokken en keek haar toen vragend aan. Zij volgde m'n blik, glimlachte toen ze het begreep en knikte.

Ik kuchte en trok m'n broekspijpen tot over m'n kuiten omhoog. Toen zagen ze het. De verrassing was volledig.

'Ahhhh, eindelijk ben je blij!' riep de één.

'Wat is er gebeurd? Nou moet je het ook vertellen!' zei de ander.

Dat kostte geen enkele moeite.

Iedereen wist wel dat Martha en ik 'iets met elkaar hadden', maar wat precies werd nu duidelijk.

We werden door iedereen in het lab gefeliciteerd. Alle vrouwen kusten ons hartelijk, alle mannen kusten Martha en schudden mij stevig de hand, of sloegen me op de schouder.

Eén rolde m'n broekspijpen om en zei dat ik zo de hele dag 'met blote sokken' moest blijven lopen. Dat heb ik genietend gedaan.

Het voelde als een nieuw begin. Ik kon m'n grot achter me laten, dacht ik. De steen ervoor rollen. Afgesloten.

Toen ben ik bij Martha ingetrokken. M'n moeder verhuisde met een gerust hart naar haar royale appartement in het zalige besef dat het met mij 'was goedgekomen'.

De maanden voor de bevalling vond ik een feest. Op het werk kenden ze me niet terug. Ik had die sokken niet meer nodig om te laten zien hoe gelukkig ik was. M'n gezicht sprak boekdelen.

Ik praatte meer, floot af en toe zelfs ongemerkt wat voor me uit. Niet 'It never entered my mind'. Nee, ik had een nieuwe favoriet ontdekt: 'Try a little tenderness', zoals Herbie Mann, The Fluteman, het speelde.

Teder, zo voelde ik me als ik zachtjes m'n hand op Martha's steeds bollere buik legde. Het was net als het verleden: bekend terrein dat steeds verkend moest worden. Maar hier genoot ik van.

Die verkenningstocht vond trouwens alleen 's avonds in bed plaats. Ik wilde de groei van het nieuwe leven wel vaker voelen - desnoods van minuut tot minuut - maar Martha had daar geen zin in.

'Geef me rust, dat is voor iedereen goed.'

We hadden verder een goede taakverdeling: Martha koos de babyspulletjes en ik installeerde alles wat nodig was. Daarnaast legde ik ook alvast aan wat nog niet nodig was en bovendien verschillende dingen die volslagen overbodig waren, maar wel leuk om te maken.

Nodig waren bijvoorbeeld op de babykamer een ledikantje en een kastje om ons kind te verschonen. Op de badkamer kwam een extra plank voor het badje.

Ik was lid geworden van de bibliotheek en leende allerlei boeken over baby's. Ruim voor de geboorte wist ik al het nodige over babyvoeding en opvoeding. En van alles wat nodig was en wat er allemaal mis kon gaan voor, tijdens en na de bevalling.

Op de babykamer legde ik, op advies van zo'n boekje, een kurkvloer: 'hygiënisch en toch warm'.

Niet zo nodig was dat ik de stopcontacten al afplakte. En overbodig was de lamp die langzaam ronddraaide als je het licht aandeed.

Waar ik het meest trots op was, maar wat ik aan niemand vertelde: op de kast in de babykamer zat inmiddels een grote knuffelbeer. Het was duidelijk meer een sfeerbeer dan een speelbeer, veel te groot, zeker voor een baby.

In de beer had ik een cameraatje geplaatst. Waar de beer naar keek, kon ik op de computer zien en opnemen. Het zal je niet verbazen dat de beer zijn blik gericht had op het ledikantje.

Zo zat ik 's avonds af en toe al vanuit de computerkamer naar de plek te kijken waar binnenkort ons kind zou slapen. Dat was iets van mij alleen. Martha wist er niet van en kon ook niet bij de beer, zeker niet nu met haar buik. Trouwens de babykamer schoonmaken, dat deed ik.

Ook trots, maar iets minder dan op de beer, was ik op de keukendeurtjes en keukenladen waar ik draaikrukken op had gezet - en ook nog eens met de kruk omhoog gericht, zodat een peuter er niet toevallig aan kon hangen en ze zo openen, of zich aan de punt kon stoten. Dat vond ik wel een vondst. Ik was het in geen enkel boekje tegengekomen.

Martha vond het maar lastig, zeker omdat ik alles al drie maanden van tevoren af had. Elke keer als ze een lade open wilde trekken om snel iets te pakken, moest ze eerst nadenken. En toen ik kort daarna alvast de box in de woonkamer klaar zette, was bij haar de emmer minstens één druppel te vol. De box verdween voorlopig naar de berging 'tot het echt zover was'.

K

blijde verwachting

M'n moeder kwam vaker naar ons toe nu Martha in 'blijde verwachting' was. Ze had ons al meteen een kinderwagen als cadeau toegezegd (die inmiddels ook in de berging, naast de box, stond te pronken) en elke keer als ze kwam nam ze een speeltje mee. Dat zette ik dan op de babykamer op een plek waar ik het ook door de beer kon zien, dus op het kastje of aan het hoofdeinde in het ledikantje.

Als ik dat op m'n computer bekeek, was het een prachtig gezicht: van dat speelbeestenspul tot aan en over de rand van de lens. Ik kon me helemaal voorstellen hoe ons kind daartussen zou liggen.

Trots leidde ik m'n moeder altijd rond langs alle aanwinsten en praatte honderduit als ik liet zien wat ik nou weer geconstrueerd had.

M'n moeder genoot er duidelijk van, zowel om te zien dat haar kleinkind in 'een gespreid bedje' zou komen, maar ook omdat ik er zo enthousiast over vertelde.

'Je hebt dus toch wel wat van mij,' zei ze als ze daarna op de bank ging zitten breien.

Ik had kennelijk het praten van m'n moeder overgenomen, want met Martha zat ze dan dikwijls een tijd comfortabel te zwijgen.

Af en toe had ze een verhaal over mijn twee broers en mij toen we nog in de luiers lagen. Soms vertelde Martha kort hoever het stond met alle spulletjes voor ons kind.

Zo hoorde ik dat ze bijna alle kleertjes in één winkel vlakbij kocht. Daar was alles wel iets duurder, maar de vrouw die hielp was erg aardig. Ze vroeg ook altijd aan Martha hoe het met haar was. Ze had zelf een dochtertje van bijna twaalf, dat al af en toe bij buren oppaste.

'Dus als je tegen die tijd een oppas nodig hebt, dan roep je maar,' had ze gezegd, 'dat wil Madelon vast wel doen.'

Intussen zat ik in een bibliotheekboek bij te lezen over baby's en riep ik af en toe iets wat voor mij volslagen nieuw was en zij al lang wisten. Of ik ging even 'computeren', dat wil zeggen: speelgoed kijken.

'Ach jongen, moet je nog zo laat werken?' vroeg m'n moeder dan bezorgd.

'Ja, ma, dat houdt niet op,' zei ik dan opgewekt en liep naar de andere kamer terwijl ik wat voor me uit neuriede, meestal 'Try a littletenderness'.

Misschien heb je zelf een kind. Dan weet je hoeveel je van tevoren moet regelen, voor, rond en na de geboorte.

Zeker als het je eerste kind is dwarrelen de lijsten door je hoofd. Althans, dat gebeurde bij mij.

Martha moest allerlei verschrikkelijk klinkende onderzoeken ondergaan: resusfactor, hb-gehalte, uitgebreide echo, triple-test. Vruchtwaterpunctie en vlokkentest wilde ze niet.

Ik wou elke keer mee.

'Nee, laat mij maar alleen gaan. Het is mijn lijf,' zei ze.

'Jawel,' protesteerde ik dan, 'maar het is ons kind.'

'Ja,' antwoordde ze, en ging dan toch alleen.

We zijn wel samen naar het gemeentehuis geweest. Dat was nodig omdat Martha en ik niet getrouwd waren en we geen samenlevingscontract hadden. Ik was wel de biologische vader.

Trouwens, dat vond ik zo mooi klinken: 'biologische vader'. Het had op één of andere manier zo'n warme klank. Maar wilde ik straks officieel de vader van ons kind zijn dan moest ik het erkennen.

Wij gingen dus naar de burgerlijke stand, met ons legitimatiebewijs om onze handtekening te zetten.

'En,' vroeg de gemeenteambtenaar, 'weet u al welke naam uw kind gaat voeren?'

Martha en ik keken elkaar vragend aan.

'Nee,' zei ik, 'over voornamen hebben we nog niet zo nagedacht. We wisten ook niet dat we die nu al konden opgeven.'

'Nee, ik bedoel, welke achternaam krijgt uw kind straks, die van de vader of de moeder,' lachte de ambtenaar.

Ook daar hadden we nog niet over nagedacht, maar dat was snel opgelost: ons kind zou mijn naam krijgen. Ik voelde me op slag een nog trotsere biologische én erkende vader.

Zo vinkten we steeds meer van m'n lijstjes af en was er op een bepaald moment weinig meer te regelen. Ik was er helemaal klaar voor. En Martha was er zo te merken ook aan toe.

Alles was er tot aan de kleutertijd. Ons kind kon makkelijk de eerste drie jaren vooruit. Dat heeft Stella dus bij lange na niet gehaald.

L

geboorte

Ik heb je in m'n overmoed
meer dan 1001 nachten beloofd en
minstens zeven prinsen op zeven
blinkend witte paarden.
Het werden nog geen honderd nachten,
met in de allerlaatste
geen prins die stralend met je danste
tot jullie beiden buiten adem waren,
maar een donker gedrocht dat
doldriest binnendrong
en jou de adem benam.
Wat rest is diepe duisternis,
nooit meer vuur en vlam:
ons sprookje ten einde.
Over en uit.

Dat had ik op de begrafenis van Stella willen zeggen, maar het paste niet in het draaiboek. Net zomin als de muziek die ik wilde laten spelen om mijn verdriet geluid te geven: 'It never entered my mind'.

'Zoiets doet men nou eenmaal niet,' zei men.

Maar laat ik niet vooruitlopen, ook al willen m'n gedachten steeds die kant op. Terug naar het begin, toen het goed was.

Waar te beginnen? Als ik aan Stella denk, dwarrelen de momenten van geluk neer op mijn beleving als sneeuwvlokken die dansend de wereld van een vers wit dek voorzien: alles lijkt puur en prachtig. Dan zou ik willen dat het altijd koud bleef. Dat doet het ook, maar nooit genoeg, nooit genoeg voor deze sneeuw om te blijven.

Stella was een huilbaby. Ze huilde vaak en veel, vanaf het begin. Alsof ze het meteen al niet zag zitten met deze wereld. En ik was degene die haar kon troosten.

Bij mij werd ze stil en viel ze tevreden in slaap. Dat deed ze in het begin bij niemand anders, zelfs niet bij mijn moeder. Later lukte het alleen het kind ook om haar stil te krijgen.

Rond de bevalling wees niets er op dat Stella zo zou gaan huilen. Het was een vierentwintig-uursbevalling waarbij alles voorspoedig ging.

Na twee keer de apgartest was de verloskundige helemaal tevreden. Toen werd onze dochter definitief naast Martha gelegd, die er naar keek met een verwonderde blik. Alsof ze zich afvroeg: 'Is dit het nou wat ik al die tijd bij me gedragen heb?'

Die foto heb ik nog steeds in 'mijn afbeeldingen' staan, in de enige map daar: Stella.

Omdat alles met moeder en dochter goed was, mochten Martha en ik met ons kind weer snel uit het ziekenhuis naar de flat. Daar kwam na korte tijd de kraamverzorgster om verder te zorgen, voor ons alledrie.

Martha had duidelijk baat bij de zwangerschapsgymnastiek, waar ik alleen de 'vaderavond' van had meegemaakt. Ze was ontzettend moe, maar herstelde voorspoedig.

Het plassen was in het begin lastig en pijnlijk. Poepen - in de boekjes 'de stoelgang' - ging na een dag of drie weer redelijk goed. Ze had in ieder geval geen verstopt gevoel meer.

De kraamverzorgster hield dit allemaal de eerste week na de bevalling in de gaten en ook of de baarmoeder wel genoeg kromp.

De kraamzuivering bij Martha verliep keurig volgens schema. Dat was trouwens wel een eng gezicht, die bloedstolstels in het kraamverband. Niet dat Martha dat aan me liet zien. Ze vroeg aan mij of ik het in de luieremmer wilde gooien. Voordat ik dat deed, keek ik er min of meer automatisch in, zoals ik de luiers van Stella altijd inspecteerde. Ik schrok best wel.

'Ach joh, maak je geen zorgen. Dat gaat vanzelf over,' zei Martha toen ik er wat over opmerkte.

En inderdaad, na zo'n drie weken was er alleen nog maar weinig en helder vocht en na zes weken kwam de menstruatie weer op gang.

Intussen las ik in allerlei informatie de waarschuwing dat dit niet betekende dat de vrouw dan niet vruchtbaar was. Daar stond dan altijd een uitroepteken achter, alsof het een serieuze waarschuwing was.

Wie waren zo gek om dan al met elkaar te gaan vrijen, vroeg ik me af.

De kraamverzorgster had Martha de tip gegeven om ook na de bevalling bij het slapen nog een kussen tussen haar knieën te houden als ze op haar zij lag. Daardoor sliep ze een stuk beter.

Martha had tot mijn grote vreugde besloten geen borstvoeding te geven. Dat gaf mij de kans Stella de fles te geven en die kans greep ik vaak, zeker ook 's avonds laat en 's ochtends vroeg.

Als Stella verder niet zo gehuild had, was Martha binnen de kortste keren volledig uitgerust geweest.

En dan? Hoe was het dan gelopen, met ieder van ons?

M

eerste voortekenen

Wat een prachtmens was de kraamverzorgster! Terugkijkend kan ik dat alleen maar van haar zeggen. Ze leerde me van alles over de verzorging van Stella.

Ik was een zeer gretige en snelle leerling. Als ik op school zo m'n best had gedaan, was ik vast hoogleraar en de trots van m'n vader geworden.

De kraamverzorgster deed alles één keer voor en dan mocht ik het onder haar goedkeurende blik zelf bij Stella doen: luiers verschonen, de fles klaarmaken en geven, in bad doen – 'badderen' noemde ze dat - en afdrogen, in haar bedje leggen.

Al dat getuttel met Stella maakte me ontzettend gelukkig. Het was een innerlijk geluk zo groot dat het naar m'n gevoel door m'n huid heen straalde. Ik was lichtgevend, m'n tanden en ogen lichtten op als in een disco.

'Die man van u, die praat je de oren van het hoofd. Trouwens, wel gezellig, hoor.'

Zoiets zei de kraamverzorgster dikwijls als ze Stella naar Martha bracht.

De eerste keer dat Martha dat hoorde, keek ze

verbaasd.

'Ja, hij is wel veranderd sinds Stella.'

We hadden van tevoren gezegd dat we niet wilden weten of het een jongen of een meisje werd. Ik was er zo zeker van dat het een meisje zou worden dat ik het niet eens hoefde te weten. Bovendien wist ik hoe ze zou gaan heten.

Ik had ooit ergens gelezen dat Stella de ster was die zeelieden houvast gaf bij het bepalen van hun koers. Dat vond ik zo mooi. Zo zou ze heten.

Gelukkig had Martha zelf geen andere naam bedacht en keurde ze deze goed.

De naam kwam ook op de paar geboortekaartjes te staan die we verstuurden: Stella.

Het was een eenvoudige aankondiging met naast de naam op de voorkant een tekening van de Poolster. Bezoektijd stond er niet op. De mensen die het kregen zouden vast wel eerst bellen. Het kaartje had ik zelf op de computer ontworpen en geprint.

Ik heb nog steeds verschrikkelijk spijt dat ik het bij de rouwkaart uit handen heb gegeven. Maar ja, toen was ik weer m'n oude zelf.

Op de tweede dag na de bevalling fietste ik naar het gemeentehuis om de geboorte van Stella aan te geven. Toen ik me bij het loket Burgerzaken meldde met de nodige papieren - verklaring van de verloskundige niet vergeten! - zat daar dezelfde ambtenaar als toen bij mijn erkenning.

'Ah, van harte gefeliciteerd. En u hebt inmiddels een voornaam gevonden?'

Hij kon het zich dus nog herinneren.

'Ja,' zei ik trots, 'Stella'.

'Wat een bijzondere naam. Die wordt niet vaak gekozen.'

'Jammer, want het helpt je je koers te bepalen,' zei ik glimlachend.

Hij begreep onmiddellijk wat ik bedoelde.

'Inderdaad, met Stella hebben mensen op zee in ieder geval geen TomTom nodig,' lachte hij.

Dat konden we allebei waarderen.

'Wilt u de aangifte voor alle zekerheid nog even controleren op mogelijke fouten alvorens deze te ondertekenen?' vroeg hij.

Hij had z'n werk goed gedaan.

Over de balie heen gaf hij me een hand.

'Rest mij u en vanzelfsprekend ook de moeder veel en lang geluk met Stella toe te wensen.'

Van het gemeentehuis reed ik naar het lab om beschuit met muisjes uit te delen. Ik had alles bij me en werd door de dames van de administratie geholpen bij het smeren.

Iedereen feliciteerde me hartelijk. En toen gebeurde waar ik op gerekend had.

Iemand trok m'n broekspijpen omhoog om te zien welke sokken ik aanhad. Inderdaad, ik had de

Donald Duck-sokken aan, werd onder luid gelach vastgesteld.

Als laatste werd er een groot cadeau tevoorschijn gehaald: voor Stella, namens iedereen. Terwijl ik het uitpakte rammelde het aan alle kanten en dat klopte ook: het was een XXL-rammelaar. Onder luid applaus schudde ik er mee als een volleerd sambaspeler.

Met een grote grijns stopte ik hem weer in de doos en deed die tussen m'n snelbinders. Met een nog grotere grijns reed ik ermee naar huis. Een bel had ik zo echt niet nodig. Ik rammelde iedereen al van ver feestelijk aan de kant.

Thuis kwam ik er demonstratief mee binnen, maar dat beviel minder. Martha schrok op uit haar boek en Stella begon onmiddellijk te huilen.

'En ze lag nou juist eindelijk even lekker te slapen.'

'O, laat mij maar.'

Ik tilde Stella op zoals de kraamverzorgster me had geleerd. Legde haar teder op mijn arm, draaide langzaam in het rond terwijl ik met m'n arm een licht golvende beweging maakte. Dat vond Stella heerlijk, had ik zelf ontdekt.

Zachtjes vertelde ik haar een heel verhaal over 1001 nacht, waarin zij de sprookjesprinses was.

Na korte tijd werd het snikken minder. Ontroerend hoe stilletjes het laatste snikje kwam en haar oogjes dicht gingen.

Het valt me op dat ik, als ik terugkijk, kennelijk toen de dingen al ervoer in begrafenistermen. Daar kan ik echt niet tegen.

Waarom leg ik die link met de dood terwijl het op zichzelf zo hartroerend was voor mij en ik nog helemaal niet wist wat er zou gebeuren?

Haar oogjes vielen dicht en ze lag op m'n arm te slapen. Wat een overgave, wat een grenzeloos vertrouwen.

Als je het zelf ooit hebt meegemaakt weet je wat ik bedoel en dat ik niet overdrijf als ik zeg dat zo'n moment ver bovenaan staat in de top vijf van de mooiste momenten in je leven. Niets, maar dan ook echt niets, kan dat benaderen.

'Je had haar wel gelijk een schone luier kunnen geven. Ze was nu toch wakker,' zei Martha, opkijkend van haar boek.

Dat heb ik een half uur later, toen Stella weer huilde, met liefde gedaan, en haar een fles gegeven, en intussen het verhaal van 1001 nacht met haar vervolgd.

Daarna heb ik haar in haar bedje gelegd, zo voorzichtig alsof ik het door mij gevonden eerste kievitsei uit handen gaf. Toen ben ik gaan doen wat een soort ritueel werd: ik ging naar de computer en met 'Try a little tenderness' in m'n koptelefoon zat ik door de ogen van de beer een tijdje geroerd te kijken naar dit nieuwe leven. Stella, onze dochter, mijn ster.

N

onze huilbaby

Wat is er heerlijk aan een huilbaby?

Voor mij was dat meteen duidelijk. Het troosten, ongegeneerd veel en vaak.

Hoe wanhopig moet je je wel als baby voelen als je zo'n onbenoembaar groot verdriet hebt en niet getroost wordt? Ik moest er niet aan denken.

Het is verrassend hoeveel mensen zich gevraagd en ongevraagd bemoeien met de ouders van een baby die veel huilt.

De buren boven ons, die we daarvoor alleen in het voorbijgaan groetten, kwamen vragen of alles goed was.

'We hebben er niet echt last van, hoor, maar we vroegen het ons gewoon af,' brachten ze goedbedoeld.

Mijn moeder zat vol adviezen, waaronder die om je vinger in honing te dopen en dan in Stella's mond te houden en haar daarop te laten sabbelen. Adviezen die bij mijn jongste broer ook al niet hadden geholpen.

'Maar bij hem is het ook vanzelf gauw overgegaan,' troostte ze ons, 'en dat was maar goed ook, want je vader begon er flink over te mopperen."Zo kan ik niet werken en voor ons het geld binnenbrengen," zei hij dan.'

De beroepsmensen, zo zal ik ze maar noemen, wisten ook niet wat te doen.

De kraamverzorgster deed wat ze kon. De spenen bleken in orde, de melk was de juiste temperatuur. Ontlasting was goed. We gingen van zes naar vijf en toen weer naar zes voedingen per dag. De luier zat niet over het navelstompje. Een kruikje in haar bedje. Van alles werd bedacht en niets hielp.

Op het consultatiebureau bleek dat Stella gezond van lijf en leden was. De eerste keer was ze iets afgevallen.

'Maar dat gebeurt ook bij "normale" baby's,' werd ons geruststellend toegevoegd.

Daarna kwam Stella weer aan, niet veel, maar binnen de marges. Zoals ik vroeger kleurde, voorzichtig maar wel keurig tussen de lijnen.

Onze huisarts kon ook niets vinden en zei toen iets dat mij erg aansprak.

'Je hebt wel eens een baby, die had er eigenlijk nog niet uitgewild, uit de baarmoeder. Die had het daar zo naar d'r zin dat ze zich nu verloren en ellendig voelt in deze buitenwereld. Bovendien, misschien heeft ze wel veel stresshormonen in het bloed. Wie zal het zeggen. Dat kan dan best nog een tijdje duren. Hoe lang? In een uitzonderlijk geval zelfs twee jaar. Maar zoals ik zeg, dat is wel heel bijzonder. Meestal duurt het een stuk korter.'

Hij keek Martha en mij aan: 'Houd jullie dochter maar veel vast, lekker tegen je aan en geef haar een beetje dat veilige baarmoedergevoel.'

Ik keek terug en knikte, Martha keek van hem weg.

Gelukkig hadden we voor de bevalling al geregeld dat ik vrijwel onmiddellijk na de geboorte ouderschapsverlof zou opnemen. Martha had nog tien weken bevallingsverlof. Daarna zou ze ook met ouderschapsverlof gaan en zouden we elkaar afwisselen.

Die eerste tien weken zorgde ik dat ik 's ochtends thuis was. Dan verzorgde ik Stella, 'badderde' en verschoonde haar, gaf haar de fles en steeds maar weer 'een beetje dat veilige baarmoedergevoel' door haar heerlijk tegen me aan te houden.

's Middags werkte ik, maar meestal kon ik vroeg naar huis door werk mee te nemen om thuis af te handelen. Dat deed ik dan 's avonds tussendoor.

Op die manier kon ik veel voor Martha opvangen, waardoor ze, dacht ik, minder met het huilen geconfronteerd werd.

Maar we kregen te maken met onze verschillende aanleg, misschien mede daardoor met onze verschillende aanpak. We vonden ieder gretig steun bij 'deskundigen' voor ons eigen standpunt.

Martha was voorstander van de harde aanpak. Niet dat ze Stella maar wilde laten huilen tot ze in slaap zou vallen. Dat vond ook zij te erg.

Ze had het advies gelezen om de kookwekker op dertig minuten te zetten en je 'kindje' pas na die tijd op te tillen en te troosten. Want het was goed 'om je baby niet te verwennen, maar te laten gewennen.'

Ook een klein kind, vond Martha, kon onrust en stress zelf reguleren. Dat was puur een kwestie van leren - en voor de ouders een zaak van consequent zijn en één lijn trekken.

Ik was van mening dat je zoiets echt niet kon verwachten, omdat het zenuwstelsel van een baby dat gewoon nog niet kon. Dat had ik gelezen.

Ik was voorstander van het standpunt dat je een kind niet meer minuten moet laten huilen dan het maanden oud is. Dus voorlopig was één minuut meer dan genoeg. En dan pakte ik Stella op.

Martha vond dat helemaal verkeerd.

'Wat ben jij soft. Je lijkt wel een maatschappelijk werker.'

Erger kon niet voor haar.

'Die hebben je wel mooi het leven gered en jou weer op de rails gekregen,' antwoordde ik geïrriteerd.

Het waren van ons beiden woorden koud en verraderlijk als dun ijs. We werden zo bang dat het zou barsten dat we ons er niet verder op waagden, maar ons snel terugtrokken naar veilige grond, ieder aan onze eigen kant. Daar heerste stilte.

Toen is eigenlijk begonnen wat later veel duidelijker werd: de afstand tussen Martha en mij. Een afstand waardoor wederzijds verwijt onderhuids kon groeien.

Het maakte na de dood van Stella onmogelijk wat we allebei toen juist zo nodig hadden: dat we elkaar troostten in ons grenzeloze verdriet.

Kennelijk was Stella geschrokken van onze stemverheffing want ze begon te huilen.

'Stop er maar een fles in, want dat wil je toch?!' riep Martha kwaad terwijl ik naar Stella's kamer liep.

'Nee,' zei ik over m'n schouder, 'daar is het veel te vroeg voor. Ze heeft pas nog een fles gehad. Regelmaat!'

Ik wachtte een minuut voordat ik Stella oppakte, eerst tegen me aan hield en haar zachtjes de volgende aflevering van ons sprookje vertelde tot het hevig snikken bedaarde. Daarna nam ik Stella op mijn arm en draaide haar weer langzaam met golvende beweging in het rond.

Toen ik daarna stil stond, voelde ik me als een zeeman die na een lange reis onwennig aan wal komt en de kade als het ware nog voelt deinen - wat het geluksgevoel alleen maar versterkt: eindelijk vaste grond onder de voeten, bestemming bereikt.

O

opbeuring

'Ik ben even weg. Jij redt het wel, neem ik aan?'

Na een paar weken liep Martha af en toe naar buiten om verlost te zijn van het gehuil.

Het was geen oplossing, maar voor ons allebei wel een opluchting. Zij was er even uit en ik voelde me niet geremd in de manier waarop ik met Stella omging.

Ik weet niet waardoor het kwam dat Martha zo prikkelbaar was. Misschien was het door slaapgebrek of door de spanning van onze verschillende aanpak. Het kan ook zijn dat ze nogal depressief was na de geboorte van Stella. Kwam er toch iets van haar verleden terug: het jengelen dat tot een ongeluk met dodelijke afloop leidde en het grote en lange zwijgen erna? Of kon ze gewoon niet tegen een steeds maar huilende baby, ook al was het haar eigen kind?

Wat speelde er door Martha's hoofd en hart?

Ze liet zich er niet over uit. Als ik het erover had, haalde ze de schouders op en bleef het onderwerp gesloten.

Op een bepaald moment deed ik het voorstel om te kijken of we op een of andere manier hulp konden krijgen voor ons samen, bijvoorbeeld van een therapeut.

Ze reageerde, om het maar zachtjes te zeggen, afwijzend.

'Ze hebben vroeger genoeg geprobeerd aan me te sleutelen. Ik wil nou wel eens mezelf zijn. Dit gaat vast vanzelf over - net als het huilen.'

Martha mocht natuurlijk nog geen zware dingen dragen, maar als uitje liep ze regelmatig naar de supermarkt op de hoek voor wat lichte boodschappen: theezakjes of koffiepads wegen niet zoveel.

Tijdens een van die uitjes kwam ze, zoals ik later vernam, Maria tegen, die zag dat ze geen bolle buik meer had.

'En wat is het geworden? Trouwens, is alles goed gegaan?'

Toen Maria hoorde van Stella en ook van het huilen, was ze één en al begrip.

'O, wat ontzettend vervelend voor jullie. Weet je wat ik je van harte kan aanraden? Een babydrager. Meid, dat doet wonderen. Ik heb net een nieuwe serie binnen. Vandaag ben ik dicht, anders liep ik hier niet, dat begrijp je, maar kom morgen even langs, dan kunnen we kijken of er een is die je zint. Als het je niet bevalt, mag je hem terugbrengen. Krijg je je geld terug. Maar ik heb er alle vertrouwen in. Tot nu toe zijn mensen er alleen maar hartstikke tevreden mee. Ze vinden het echt een uitkomst.'

Gesteund door deze woorden, kwam Martha wat monterder dan anders het huis weer in. Ze bleef zelfs opgeruimd kijken toen ze me op de bank zag zitten met een slapende, stille Stella op schoot. Ze kwam zomaar naast me zitten en vertelde zachtjes van haar gesprek met Maria.

En toen gebeurde het wonder: Stella werd wakker en blikte tevreden rond, zonder een kik te geven.

Martha en ik keken elkaar aan met de hoop in onze ogen dat het allemaal toch goed zou komen. Martha stopte haar vinger in het handje van Stella. En zo zaten we gelukzalig, maar ook gespannen naar dit moment te kijken als kinderen naar een steeds groter wordende glanzende zeepbel. Tot er bij de buren boven een deur dichtsloeg en Stella daar zo van schrok dat ze toch weer begon te huilen.

De volgende ochtend ging Martha hoopvol naar Kiddies, het winkeltje van Maria, voor haar babydrager. Ze kwam terug met een 'huggababysling', een zogenaamde voordrager.

'Daar krijg je een kind gegarandeerd mee stil. Ook jullie kind. Dat zal je zien!'

We konden het meteen uitproberen, want Stella huilde. Ik haalde haar uit haar bedje en moest me inhouden om niet met haar rond te draaien. Ik hield Stella tegen me aan en dacht: 'Ik hug mijn baby wel op mijn manier.' En huilen? Het zorgde er bij mij voor dat ik dubbel genoot van elke lach.

De sling was geen doorslaand succes, maar ook geen rechtstreeks debacle. Stella ging iets minder hard huilen, dus wie weet werd ze dan straks helemaal stil bij Martha.

Ik kon dat helaas niet afwachten, want ik moest naar het lab.

De sling had er in ieder geval voor gezorgd dat Martha minder opzag tegen de middag alleen met Stella, merkte ik. Ze liep met een zachtjes snikkende Stella tegen zich aan zelfs met me mee naar de voordeur.

Alles ging op een andere manier beter dan ik had verwacht. Ik kwam aan het einde van de middag terug van m'n werk en trof thuis niet alleen Martha aan, maar ook Madelon, de dochter van Maria. Ze zaten samen op de bank. Madelon had een slapende Stella op schoot.

Hoe weet ik niet, maar het was haar gelukt ons kind stil te krijgen. Madelon zat er zelf heel tevreden bij. Zij voelde het als een overwinning. Gelukkig zag Martha het niet als een nederlaag.

Madelon was vroeg uit school, had van Maria gehoord dat ze hier misschien kon komen oppassen en ze was gelijk even gaan kijken. En met succes!

Daarna kwam Madelon regelmatig langs, wat voor Martha een welkome afleiding bleek te zijn.

Het was ook een doorbreken van de spanning die zich 's middags door al dat huilen van Stella opbouwde, want - je raadt het al - de sling hielp niet echt. Hier was gelukkig iemand die net als ik, maar dan vroeger in de middag en op haar eigen manier, Stella stil kreeg.

Na tien weken zwangerschapsverlof ging Martha weer aan het werk.

We hadden het zo geregeld met het ouderschapsverlof dat zij vier middagen voor Stella zou zorgen. Ik deed dat vier ochtenden en een volle dag. In de weekends zorgden we samen voor haar.

Het gaf Martha de gelegenheid om 's ochtends te werken. Dat kwam goed uit, want dan waren er de meeste telefoontjes. 's Middags wilden de andere twee dames van de administratie de telefoon wel tussendoor beantwoorden.

De eerste ochtend kwam Martha vrolijk en voor haar doen uitgelaten terug van het lab. Ze had het heerlijk gehad.

Ik ook, want ik had zonder haar kritische blik op de achtergrond Stella uitgebreid kunnen vertroetelen.

Bij het badderen spatte ik haar met een paar druppels in haar gezicht. Daar moest ze hard om lachen en toen ik het herhaalde schaterden vader en dochter het samen uit. Een groter contrast bestond niet met onze huilbaby: Stella schaterlachend met heel andere druppels in haar gezicht dan tranen.

Martha en ik lunchten samen, ieder tevreden met onze eigen ervaringen van die ochtend.

Maar nog voordat ik m'n spullen pakte om naar het lab te gaan, begon Martha wat stroever te kijken. Ze haalde met een diepe zucht de sling tevoorschijn en legde die alvast klaar op de bank en ging ernaast zitten alsof ze in de wachtkamer voor huilbuien zat.

'Het gaat vast goed, dat zul je zien,' mompelde ik, maar overtuigend klonk het niet.

Het lukte me om het einde van m'n werktijd te vervroegen en ik haastte me naar huis, met nog wat werk onder de arm voor 's avonds.

Tot mijn opluchting zat Martha met Madelon aan de thee en liet Madelon een tevreden Stella aan een in haar thee gedoopt biscuitje sabbelen.

Toen Madelon weg was, vroeg ik Martha hoe het gegaan was.

'Matig.'

'Werkt de sling al beter?'

'Niet echt. Kom, ik ga alvast wat aan het eten doen.'

En ze trok zich terug in de keuken.

Ik zag dat Stella een pruillip trok en ik kon het huilen net voorkomen door met haar in het rond te gaan draaien en 'Try a little tenderness' te neuriën. Wonderbaarlijk hoe dat werkte.

De weken erna gingen redelijk. Door het werk kon

Martha kennelijk meer hebben. Bovendien was de tijd die ze met Stella alleen doorbracht tamelijk kort.

Dikwijls kwam Madelon even aanwippen en ik regelde, in overleg met m'n baas, mijn werk zo dat ik 's middags ook officieel wat eerder naar huis kon.

'Het maakt mij niet uit waar het gebeurt, als je werk maar op tijd en goed gebeurt,' zei hij begrijpend.

's Avonds handelde ik het nodige papierwerk af, terwijl Martha televisie zat te kijken. Ze zapte van talkshow naar talkshow, duidelijk geboeid door al die pratende mensen.

Als ik m'n werk af had, ging ik bij Martha op de bank zitten meekijken. En als het nodig was, verzorgde ik Stella. Die gang van zaken had zich als vanzelfsprekend zo ontwikkeld.

Meestal bleef ik dan nog een tijdje met Stella zitten.

Ik had de hoop dat Martha op die manier - ja, hoe zal ik het noemen - wat meer aan haar zou hechten, omdat ze merkte dat Stella ook stil kon zijn en dan ontzettend lief was. Dat Martha dan minder de neiging zou hebben om te vermijden dat ze 'iets met Stella moest', zoals ze het zelf ooit noemde.

Nu liet ze het graag aan mij over en ook steeds meer aan Madelon, zag ik.

Het was gebruikelijk dat Martha vroeg naar bed ging. Een tijdje daarna legde ik dan gewoonlijk Stella in haar bedje en ging nog even naar de computer in de werkkamer.

Meestal keek ik dan eerst op m'n RealPlayer naar de opnamen van Stella door de middag heen. Daar zag ik hoe Madelon steeds vaker onze dochter in haar bedje legde. Eerst nog even met haar ronddraaide, zoals ik dat deed, en dan op haar hurken door de spijlen van het bedje naar Stella bleef kijken.

Als Stella dan stil bleef, stond Madelon op en keek rond alsof ze een grote triomf had behaald. En dat was eigenlijk ook zo. Waar de moeder niet in slaagde, lukte haar wel.

Die opname wiste ik elke dag en vervolgens schakelde ik om naar de opname van dat moment.

Zo had de dag een heerlijk einde voor me: luisterend naar Herbie Mann zat ik nog even Stella door de ogen van de beer te bewonderen.

Wanneer ik daarna naast Martha in bed ging liggen, had ik het optimistische gevoel dat we het zo zouden rooien.

Op een bepaald moment zou Stella vast minder gaan huilen en Martha meer van haar gaan houden.

Met dat blije vooruitzicht kon ik goed slapen.

P

adempauze

Aan het einde van week veertien van Stella's leven gebeurde het.

Martha was die week steeds meer geïrriteerd geraakt. Ik kon juist 's middags niet zo vroeg weg, want een specialist had bij mijn baas geklaagd dat ik de laatste tijd wel erg weinig bereikbaar was.

Helemaal aan het einde van de maandagmiddag kwam ik thuis en trof Martha aan als een strak opgewonden kluwen van spanning en ergernis.

'Waarom is Madelon er niet?' vroeg ik verbaasd.

'Repetitieweek,' was het korte antwoord.

De spanning bouwde zich door de week heen alleen maar op.

Die vrijdagmiddag kwam ik thuis bij een radeloze Martha. Ze zat met wanhopige blik en met de handen over haar oren heen en weer te wiegen.

De huggababy lag in een hoek van de kamer geslingerd. Stella huilde in haar bedje alsof ze al een hele tijd geen aandacht had gehad. Dat was door twee deuren heen te horen.

De kamerdeur naar de hal en de deur van babykamer, die gewoonlijk open stonden om alles van Stella te horen en snel bij haar te kunnen zijn, zaten potdicht.

Ik legde m'n arm om Martha heen, wat ze voor deze keer toeliet.

'Ik kan er niet meer tegen. Ik moet hier echt weg. Gewoon weg. Nu,' fluisterde ze, niet eens tegen mij, maar in zichzelf.

'Ja,' zei ik en drukte haar steviger tegen me aan, 'als je even wacht, ga ik met je mee.'

Zo bleven we even bij elkaar zitten en kalmeerde ze.

Misschien gebeurde dat ook wel, omdat ik deze keer niet rechtstreeks naar Stella liep, maar bij haar bleef.

Na korte tijd ging ze rechtop zitten en keek me aan.

'Zullen we naar de bioscoop gaan? Even helemaal weg van hier?'

'Hoe moet dat dan met Stella?' begon ik te zeggen, maar ze raadde het al en antwoordde voordat ik het had kunnen vragen.

'Ik heb er al over nagedacht. Je moeder vragen op Stella te passen heeft geen zin. Daar loopt ze nu te slecht voor. Madelon kan. Haar repetities zitten er nu op.'

'Goed, bel jij Madelon, dan ga ik even bij Stella kijken.'

Ik haastte me naar de babykamer. Daar heb ik

Stella extra liefderijk verzorgd. Met haar dicht tegen me aan heb ik eerst fluisterend m'n excuses aangeboden dat ik haar zo lang had laten liggen. Gezegd dat het een schande was en dat het nooit en te nimmer meer zou gebeuren. Dat beloofde ik plechtig. En toen heb ik haar als een prins ten dans gevoerd.

Onder de draaiende lamp heeft zij op mijn arm meegedraaid tot ze het weer zag zitten met deze wereld, me stralend toelachte en ik de vaste grond onder m'n voeten voelde golven.

Intussen was Madelon gearriveerd. Ze kreeg de laatste instructies over het eten en de luiers, wat eigenlijk overbodig was omdat ze al zo vaak voor Stella gezorgd had. Maar het was nodig voor ons verantwoordelijkheidsgevoel, want het was de eerste keer na Stella's geboorte dat we uitgingen.

Met een laatste hug voor Stella en voor Madelon de boodschap dat het vast allemaal goed zou gaan, want als er iemand met Stella kon omgaan dan was zij het wel, vertrokken we.

Bij het weggaan schreven we ons mobiele nummer op, voor het geval het echt niet zou gaan.

'Maar we kunnen ons niet voorstellen dat dat met jou erbij nodig zal zijn,' zeiden we geruststellend voor haar, en voor ons, op de drempel.

Martha en ik gingen naar een eetcafé vlakbij om een hapje te eten. Daar genoten we weer ouderwets van elkaars stilte. Een heerlijk bekende, aangename, ontspannen stilte.

'Naar welke film wil je eigenlijk?' vroeg ik op een gegeven moment aan Martha.

'Geen idee. Jij?'

'Ja, er draait een nieuwe film met Julie Christie. Die schijnt wel mooi te zijn.'

De aankondiging was me de dag ervoor op weg naar huis opgevallen en had me onmiddellijk doen denken aan die ene nacht na 'Don't Look Now'.

Ik had de stille hoop dat - hoe gek dat misschien ook klinkt - Julie Christie ons hetzelfde gevoel van vertrouwelijkheid met elkaar zou geven als toen. Of dat we er dichtbij zouden komen.

'Julie Christie...'

Ik zag dat ze dezelfde associatie had als ik - en ook de bereidheid zich ervoor open te stellen.

'Hoe heet de film eigenlijk?'

'Volgens mij heet ie "Away from her."'

En toen gebeurde het mooiste. We keken elkaar aan en begonnen allebei zo onbedaarlijk te lachen dat mensen om ons heen, die ons eerst een tijd hadden zien zwijgen, helemaal niet meer wisten waar ze met ons aan toe waren.

Met tranen in onze ogen rekenden we af en liepen hand in hand naar de bioscoop, naar 'Away from her' en verder weg van haar, verder weg van Stella.

Het was een prachtfilm. Niet eens zozeer vanwege Julie Christie, die best ontroerend een dementerende vrouw speelde, maar door haar tegenspeler.

Ik ben even z'n naam kwijt. Maar hij was echt de intens verdrietige en geschokte echtgenoot die merkt dat zijn vrouw - Julie Christie dus - hem in haar verwarde toestand zomaar definitief opzij zette en ergens anders redelijk gelukkig verder leefde. Wat een verlies, wanhoop en leegte drukte die man uit!

Tijdens de voorstelling voelde ik Martha's hand op m'n been. We hadden weer contact.

Na de film telde maar één ding: we wilden naar huis. Niet omdat het verhaal zo deprimerend was dat we eigenlijk niet anders konden. Ook niet omdat we zo gauw mogelijk naar Stella terug wilden. Nee, we voelden allebei dat we weer dichtbij elkaar waren en dat dit zo lang niet was gebeurd dat we het moesten vieren.

Ken je het gevoel, dat je met je eerste vriendje of vriendinnetje naar huis loopt en dat je zeker weet en er verlangend naar uitkijkt: nu gaat het gebeuren? Nou, zo voelden wij ons. We gingen er gewoon harder van lopen. Toen we dat merkten, hielden we elkaar steviger vast en lachten in de herkenning van elkaars gelukzalige verwachting.

Martha zou Madelon snel naar huis brengen en ik zou Stella klaarmaken voor de nacht, althans voor zo'n stuk van de nacht dat Martha en ik alle tijd voor elkaar hadden.

We kwamen thuis, waar alles geruststellend stil was.

'En, is alles goed gegaan?' vroegen we voor alle

zekerheid aan Madelon die op de bank zat.

'Ja, hoor,' en ze keek weer in een of ander blad met een concentratie alsof ze een repetitie aan het leren was.

'Mooi, dan breng ik je even naar huis. Pak je jas maar,' kondigde Martha aan.

Ik liep intussen naar de babykamer waar Stella in alle rust in haar bedje lag.

Q

stella mortis

Hoe het kwam weet ik niet, maar toen ik Stella zo zag liggen, had ik het rare gevoel dat de rust niet natuurlijk was. Ik probeerde haar met wat sussende woorden op te tillen, bang dat ze anders zou gaan huilen. Ze reageerde helemaal niet. Haar hoofdje bungelde erbij alsof haar nek van rubber was. En ze ademde niet!

De stilte die toen in mijn oren suisde, was de stilte tussen het afvuren van een kanon en de knal.

Wat daarna gebeurde en de gevoelens erbij zijn één grote wirwar. Je gaat pas achteraf stukje bij beetje een samenhang construeren.

Martha kwam aanrennen op mijn smartenkreet. Samen konden we niets anders dan ontsteld woorden fluisteren als: 'Nee, dit is niet zo. Dit kan niet. Zeg dat het niet waar is.'

Madelon kwam met grote schrikogen in de deuropening en begon ontzettend hard te huilen.

Wat nu te doen?

We hebben de huisarts gebeld. Die kwam onmiddellijk. Hij vroeg ons wat er gebeurd was. Wij wisten het niet, want we waren weg.

Madelon was ook niet in staat iets te zeggen. Ze zat alleen maar in elkaar gedoken te snikken.

Intussen belde Martha naar Maria om te zeggen dat er 'iets ernstigs' met Stella was gebeurd en met de vraag om zich over Madelon te ontfermen.

Maria belde aan, omarmde ons en huilde heftig met ons mee. Vertelde ons hoe verschrikkelijk ze het voor ons vond en ook voor Madelon.

Daarna zat ze een tijd stil met haar armen om Madelon heen en vroeg steeds of ze nog wat voor ons kon doen. Uiteindelijk vertrokken ze en zei Maria terwijl ze ons omhelsde nog eens hoe onbeschrijflijk verdrietig ze dit vond en dat ze morgen terug zou komen.

Onze huisarts onderzocht Stella grondig. We stonden erbij en keken ernaar. Ten slotte zei hij dat hij alleen maar kon constateren dat er geen leven meer in Stella was en dat er geen enkele aanwijzing was voor een onnatuurlijke dood. Toen zijn we met z'n drieën terug gegaan naar de woonkamer, waar hij ons gelukkig niet probeerde te troosten, maar wel te steunen door dingen te regelen waar wij niet aan dachten.

Als we er prijs op stelden konden we een post-mortem onderzoek laten doen om te proberen achter de oorzaak van het overlijden van Stella te komen. Als we dat niet wilden, kon hij een verklaring van overlijden voor ons opmaken.

Martha en ik keken elkaar aan en wisten het meteen zeker: zo'n onderzoek wilden we niet. Wat daar ook uit zou komen, Stella kwam er niet door terug. En het idee dat ze in het lichaam van ons dochtertje gingen snijden! Zelfs na haar dood moesten ze niet aan haar komen, had ik het gevoel.

Aan een uitvaartverzekering hadden we nooit gedacht. Als het leven nog maar net begonnen is, sta je niet stil bij het einde.

De dokter belde daarom met ons goedvinden een uitvaartondernemer, die zei er binnen tien minuten te zijn.

We besloten rationeel om mijn moeder pas de volgende dag het verschrikkelijke bericht te brengen.

De uitvaartondernemer bleek een man te zijn. Hij was stipt op tijd. Net als onze huisarts toonde hij een ingehouden medeleven. Als hij emotioneel was geweest, waren we waarschijnlijk tot op de grond toe ingestort.

Martha wou dat Stella in een uitvaartcentrum opgebaard zou worden.

Ik wilde haar per se thuis houden.

'Wat heeft dat voor zin. Ze is nou toch hartstikke dood?!' vroeg Martha zonder iemand van ons aan te kijken.

'Ik kan haar nog niet laten gaan,' bekende ik.

We kwamen overeen dat Stella nog twee dagen thuis zou blijven en dan naar het uitvaartcentrum zou gaan.

De uitvaartondernemer vroeg of wij Stella de laatste keer zelf wilden verzorgen. Martha wou dat beslist niet en kon dat niet, zei ze. Ik wel.

Daarna heb ik onder begeleiding van de uitvaartondernemer Stella voor het laatst verzorgd.

Hoeveel liefde en verdriet zaten er in die laatste handelingen. En hoe vervreemdend was het om een kind, je eigen kind, dat niet meer meegeeft, maar ook niet tegenstribbelt, te verzorgen. Het was goed dat ik al de spulletjes die we nodig hadden blindelings kon vinden.

Ik vergeet vast een boel te vertellen, maar uiteindelijk waren de eerste handelingen na Stella's overlijden - ook de officiële plichtplegingen - voltooid.

Zowel de huisarts als de uitvaartondernemer zouden de volgende dag terug komen.

Martha kon niet meer op haar benen staan van vermoeidheid en ging naar bed met een slaappil die de huisarts gegeven had. Toen werd het letterlijk doodstil in huis.

Ik liep naar de computer, zette die aan in een intens verlangen nog een levende Stella te zien.

Van wat ik toen zag, voel ik nog steeds tot in het kleinste detail het diepe afgrijzen. Ik voelde een kilte tot op het bot, een kilte die zich tot ver over de einder, tot in het oneindige uitstrekt.

Ik zag Stella in haar bedje liggen huilen, zag hoe Madelon binnenkwam en Stella lachend optilde, met haar ronddraaide en toen Stella bleef huilen met haar de kamer uit liep.

Ik spoelde een tijd het beeld van het lege bedje door tot Madelon weer binnenkwam. Deze keer keek ze wanhopig. Ze haalde een nog steeds huilende Stella ongeduldig uit de sling die ze omgedaan had, schudde haar kwaad door elkaar en legde haar toen ruw in bed.

Het kind rammelde een tijd aan het bedje, alsof ze Stella zo stil wou krijgen. Een machteloos gebaar. Toen stond m'n hart stil.

Ze haalde de sling over haar schouder, maakte er een soort prop van en duwde die met een woedend gebaar tegen het gezichtje van Stella aan. En ze bleef duwen! Totdat Stella stil lag.

Eenzaamheid kwam omhoog als water in een lekgeslagen boot. Ik wist het zeker, dit zou ik nooit aan iemand kunnen vertellen.

Ik sloot de computer af. De laatste tik en het nog even oplichten van de monitor deed me eraan denken: een ster is het helderst vlak voordat ie opbrandt. Dat beeld kwam met de snelheid van het licht op me af en zat vanaf dat moment op mijn netvlies gebrand.

Ik had naar de donkere lucht gekeken en er de Poolster in ontdekt die mijn hemel korte tijd stralend verlichtte. Nu keek ik naar diepe duisternis.

Achter mij wist ik de grot waar ik in m'n overmoed de steen voor had gerold, en besefte het onvermijdelijke. Ik liep er naartoe om de steen weer weg te rollen. Stella was dood.

R

uitvaart

De weinige uren tot de ochtend aanbrak, waren de langste nacht van mijn leven. Ik huilde om het verlies van Stella, ik huilde tegelijkertijd om wat ik wist dat Madelon - die ik inmiddels in gedachten 'het kind' was gaan noemen - haar had aangedaan en ik huilde ook om de laag van stilte waarmee ik die wetenschap moest toedekken. Ermee naar buiten komen zou alleen maar meer verdriet en machteloosheid veroorzaken. Dat was zinloos.

Martha lag naast mij, met haar rug naar me toe en met opgetrokken knieën, alsof ze alleen zo paste in de cocon van haar eigen verdriet.

Het was een nacht vol afscheid.

Eindelijk brak de ochtend aan, met beloftes van nog ergere dingen.

Toen ik wakker werd, lag Martha op haar rug met grote ogen in het niets te staren. Ik wilde mijn arm om haar heen leggen, maar ze gleed onder het gebaar weg het bed uit.

Ze liep de slaapkamer uit en door de open deur zag ik hoe ze met afgewend gezicht de kamerdeur van Stella dicht deed voordat ze naar de badkamer ging en daar de deur achter zich op slot deed.

Ik ging m'n moeder bellen, maar stelde dat nog even uit door m'n baas te bellen. Dat was minder erg.

M'n baas reageerde verbijsterd.

'Wat een onmenselijk verdriet voor jullie allebei. Neem er echt alle tijd voor om je dochtertje de laatste eer te bewijzen zoals jullie vinden dat het haar en jullie recht doet.'

Tenslotte kon ik er niet meer omheen. Ik belde m'n moeder. We hebben samen aan de telefoon een potje zitten huilen.

'Ach, jongen, dit is nog erger dan dat m'n eigen kind overlijdt,' zei ze snikkend, 'ik kom nu naar jullie toe.'

'Dat is goed, mam,' kon ik uitbrengen.

Martha was inmiddels van de badkamer af, dus kon ik er terecht.

Daarna liep de tijd in twee lijnen.

De eerste was een aaneenschakeling van gebeurtenissen rond de begrafenis van Stella.

De andere was het onderhuidse gevecht tussen Martha en mij.

We hebben elkaar onopvallend bevochten, bedekt de strijd gezocht en die geleverd. Niet dat we elkaar als tegenstander beschouwden: het was de toekomst die we in elkaar wantrouwden.

Aan het einde van het gevecht waren we als boksers die na een slopende strijd tegen elkaar aanhingen, elkaar van vermoeidheid omarmden en beklopten. Geen kracht voor de genadeslag. Om daarna uitgeput ieder onze eigen hoek van de ring op te zoeken. Strijd onbeslist.

Die twee lijnen raakten vervlochten tot een tweevoudig snoer, zo sterk dat het onmogelijk verbroken kon worden, al probeerden we het allebei op onze eigen manier. Dat weet ik zeker.

Ik zal je vertellen wat er die eerste week na Stella's dood gebeurde, dan zie je zelf hoe alles door elkaar liep.

Mijn moeder kwam op haar scootmobiel aangeracet. In haar troostrijke armen kon ook Martha haar verdriet uiten en openlijk huilen.

De huisarts kwam en vertelde ons dat Stella volgens hem aan wiegendood was overleden. Hij legde ons uit dat dit waarschijnlijk veroorzaakt werd door een disfunctioneren van het ademhalingscentrum of door een afwijkend hartritme.

Het resultaat, zei hij, was zuurstoftekort, een zuurstoftekort dat Stella fataal was geworden.

Ik wist wat het zuurstoftekort werkelijk had veroorzaakt, maar deed er het zwijgen toe.

Martha vroeg hem of Stella misschien gered had kunnen worden als we thuis waren geweest.

Hij hoorde de onderliggende vraag.

'Val jezelf niet lastig met die vraag,' glimlachte hij begrijpend, 'dit gebeurt helaas verhoudingsgewijs vaker bij huilbaby's dan bij andere baby's. En zeg nou zelf, als je kind even niet huilt, ga je niet gelijk kijken, maar wacht je juist een tijdje omdat je de rust als een opluchting ervaart. Althans, zo reageren ouders normaal gesproken. Het klinkt hard, maar het had je evenzeer kunnen overkomen als je thuis was geweest. Dus ga jezelf niets aanpraten.'

Hij keek Martha aan totdat ze hem aankeek en knikte. Hij schreef meteen een recept voor slaappillen.

'Jullie moeten zorgen dat je goed slaapt. Er staat je nog heel wat te wachten.'

En gelijk had hij.

Ik weet niet meer in welke volgorde het allemaal gebeurde, maar Maria kwam binnen en wilde, net als m'n moeder, koffie maken. Die twee vonden troost bij elkaar in de keuken.

De uitvaartondernemer kwam en overlegde met de huisarts.

En toen moesten wij van alles met hem regelen en begon het gevecht dat ik noemde.

Ik moet heel eerlijk zeggen, daarin heb ik voornamelijk geïncasseerd. Ik was toch al murw geslagen.

Ik wou het rouwkaartje precies als het geboortekaartje. Martha wou wel de Poolster op de voorkant, maar ook de tekst: 'De mooiste bloemen groeien aan de afgrond'.

Dat werd het.

Ik ging akkoord, ook al vond ik de tekst weinig te maken hebben met Stella. Het kaartje zou toch maar naar weinig mensen gaan.

Als muziek wou ik 'It never entered my mind' van Miles Davis.

De uitvaartondernemer keek geschokt, wat Martha genoeg steun gaf om 'Tears in heaven' van Eric Clapton voor te stellen.

'Het laatste laat men redelijk vaak op begrafenissen horen en het eerste eigenlijk niet.'

Discussie gesloten.

Ik kon nog wel inbrengen dat, als dat mogelijk was, Stella aan het hoofdpad begraven zou worden, dan kon mijn moeder er met haar scootmobiel bijkomen. Dat was 'geen probleem'.

Zo werden er nog allerlei details geregeld die nou eenmaal bij een begrafenis horen.

De uitvaartondernemer vertrok uiteindelijk.

'Niet morgen maar de dag erop brengen we uw dochtertje naar een rouwkamer van het uitvaartcentrum. Mocht u in de tussentijd nog iets willen weten of zeggen, belt u rustig.'

Hij legde zijn kaartje neer.

Met een korte adreslijst waar de rouwkaartjes naartoe moesten verdween hij.

Ook Maria vertrok, naar huis.

'Anders zit Madelon veel te lang alleen, zeker nu

ze zo ontzettend verdrietig is om wat er gebeurd is.'

Mijn moeder ging terug naar haar appartement, met de belofte om mijn broers op de hoogte te stellen.

In huis ontliepen Martha en ik elkaar niet, maar we liepen wel langs elkaar heen. Zoals mijn vader en ik vroeger op de trap.

Ik keek vaak op de computer naar Stella, hoe ze in haar bedje lag. Dat vond ik geruststellender dan wanneer ik naar haar kamer ging, want dan hoorde ik het geruis van het motortje voor de koelplaat onder haar.

Door de ogen van de beer leek het meer alsof ze gewoon sliep. Daar zette ik wel míjn muziek bij op.

Midden in de nacht werd ik gebeld door m'n broer de Mennoniet. Hij was even het tijdsverschil vergeten, net zoals mijn moeder dat niet in de gaten had toen ze hem belde.

Tja, wat moet je met iemand die je wil troosten met de woorden dat je kind 'nu bij de Heer is' als je daar zelf geen barst van gelooft?

Ik probeerde hem nogal onhandig gerust te stellen dat het goed zat omdat we 'Tears in heaven' zouden spelen, maar dat kende hij niet.

Hij sloot het gesprek af met de mededeling dat hij voor ons zou bidden.

Het gekke is dat Martha meer troost uit die opmerking putte toen ik het haar vertelde dan ik.

Mijn jongste broer heeft tot nu toe niet gereageerd op de boodschap die mijn moeder op zijn antwoordapparaat heeft ingesproken. Dat komt vast met kerst.

Na twee dagen brachten we Stella naar een rouwkamer van het uitvaartcentrum. De ironie van je kind binnendragen in een uitvaartcentrum!

We kregen de sleutel van de rouwkamer, zodat we daar naartoe konden wanneer we maar wilden.

Martha is daar vaak en lang geweest de dagen voor de begrafenis. Ik geen enkele keer. Ik had thuis al afscheid genomen.

De begrafenis zelf. Het zijn indrukken van diep omhoog gehaald en even onsamenhangend in elkaar gepast als de opgegraven scherven van een oude urn door een onzekere amateur-archeoloog.

Toen we de aula verlieten om Stella 'ter aarde te bestellen', herinner ik me klokken die haar met zware galm uitluidden. Daaraan vooraf mocht ik het woord doen.

Ik voelde me als een rouwclown die in jaren niet had opgetreden. Geen sprake van morbide trefzekerheid, geen act met dodelijke precisie gebracht. Ik was mijn tekst en de bewegingen kwijt.

'Ik heb je in m'n overmoed meer dan 1001 nachten beloofd....'

Dat had ik willen zeggen, maar die tekst was in

ons gevecht al snel gesneuveld.

In plaats daarvan had ik gekozen voor: 'Liefhebben heeft te veel voeten in de aarde om zonder verdriet te kunnen.'

Maar ik versprak me en haalde 'voeten' en 'aarde' door elkaar. Ik had geen zin om het recht te zetten.

Eigenlijk had ik gewoon de tijd vol willen vloeken: godver, GODver, GODVERDOMME!!!

Wat ik wel gezegd heb weet ik niet meer precies.

Daarna kwamen de 'Tears in heaven'.

We liepen achter Stella's kist aan de aula uit alsof we de hemel tegemoet gingen. Martha en ik liepen achter de baar met mijn moeder op haar scootmobiel tussen ons in. Daarachter volgden de anderen. Weinig volk, voornamelijk van het lab, en weinig mensen. Maria was er, zonder het kind.

Mensen stonden om het graf als weidekoeien om een verroeste badkuip. In de stilte de schelle lach van een specht, gevolgd door het krassen van een kraai. De wind in de bomen die niet anders kon dan verder huilen.

Terwijl de kist langzaam en onherroepelijk in het graf zakte, stonden Martha en ik beiden met de handen op de rug ons eigen afscheid te nemen van Stella.

Plotseling voelde ik een hand over die van mij heen, keek om en zag Maria die me met haar blik probeerde te troosten. Martha niet, Maria wel.

Ik voelde me net zo beroerd als Jezus die beseft

dat hij nog een lange kruisweg voor de boeg heeft.

De ellende was, bedacht ik grimmig, ik had waarschijnlijk langer te leven dan hij.

S

afscheid

De weken na de begrafenis gingen Martha en ik als zombies door het leven. Thuis konden we niet om elkaar heen, maar op ons werk lukte dat goed. Ik kwam wat minder op de administratie dan voorheen en als ik er kwam praatte ik vooral met de andere twee dames.

Het werk zelf was goede afleiding. Ik moest zo nauwkeurig en geconcentreerd werken, dat ik dan echt aan niets anders dacht. Wat dat betreft had Martha aan de telefoon meer mogelijkheid tot piekeren.

Thuis liepen we altijd snel langs de babykamer. Die deur bleef gesloten.

Na twee weken wilde Martha alles van Stella opruimen. Daar heb ik me tegen verzet. Ik wilde het voorlopig zo laten. Ik kwam ook niet op de kamer, maar ik kon het idee niet aan dat er dan geen eigen plek voor Stella meer in dit huis zou zijn.

'Maar ze is er toch niet meer? Wat heeft het dan voor nut om die kamer zo te houden? We moeten toch verder?'

'Wat maakt het nou uit om die kamer voorlopig zo te houden? We gebruiken hem toch niet. Of wil jij hem soms voor jou hebben?'

Die uithaal deed pijn, zag ik.

'Jij ziet stilstaan als een manier om weg te lopen van doorgaan. Maar dan doe ik niet met je mee. Ik ga echt verder, desnoods zonder jou,' sloeg Martha terug.

Toen deed ze iets dat de weken erna een soort routine voor haar werd: ze pakte haar jas en tas, liep het huis uit en kwam pas laat terug, zonder te zeggen waar ze geweest was.

Onder druk wordt alles vloeibaar. Ook wat we voor elkaar voelden, zodat het tussen onze vingers wegliep.

En dan was er ook nog de grenzeloze vermoeidheid van dag en nacht geen kind hebben om voor te zorgen.

Op een dag ging ik vroeg naar het werk. Slapen lukte toch niet. Na een tijdje tikte één van de dames op het raam van de administratie en wenkte naar me.

'Weet jij waar Martha is?' vroeg ze bezorgd. 'Ze had er eigenlijk al moeten zijn en ze neemt de telefoon niet op.'

Ik ben als een gek naar huis gefietst, allerlei zwarte gedachten van wat er wel met haar kon zijn van me afduwend.

In de gang stonden twee koffers. Martha kwam

met haar jas aan uit de babykamer. Ze zag me en bleef in de deuropening staan.

'Ik ga weg. Voorgoed. Ik kan hier niet meer leven, ik kan niet meer met jou leven. Met jou en je blinde wanhoop.'

'Ik leef liever met blinde wanhoop dan dat ik m'n ogen dicht doe, omdat de duisternis me bang maakt,' antwoordde ik.

'Jij doet juist je ogen dicht voor de toekomst en zit alleen naar het verleden te kijken. Blijf dat vooral doen. Maar zonder mij.'

'Waar ga je naartoe?'

'Dat gaat je niets aan. Jij mag in de flat blijven - met je babykamer. Ik hoop dat je er gelukkig mee wordt. Ik heb besloten er op een andere manier het beste van te maken.'

Het waren woorden zo koud, ik kreeg er hoofdpijn van.

Martha deed de deur van Stella's kamer met een liefdevol gebaar zachtjes dicht.

Ze liep langs me heen met de blik van een terminale patiënt die aan een nieuwe dag begint en zich heeft voorgenomen er iets van te maken.

Martha's afscheid was definitief. Het duurde lang voordat het me begon te dagen. Inmiddels was het al avond.

De volgende dag heb ik vrij gevraagd en ben ik radicaal aan de slag gegaan. Ik heb de babykamer ontruimd.

Vrijwel alles aan kleertjes en andere spulletjes, waaronder de knuffels - inclusief de grote beer op de kast - heb ik in plastic zakken gedaan en naar het Leger des Heils gebracht. De meubeltjes bracht ik naar de gemeentewerf.

De man van de gemeente keek ernaar.

'Zo, dat ziet er nog goed uit. Waarom doe je dat weg, man?'

Ik draaide me om en liep zonder iets te zeggen naar de auto. Toen ik de tweede lading kwam brengen, zag ik dat hij het meeste apart had gezet.

Tijdens mijn opruimwoede fladderden gedachten wanhopig rond in m'n hoofd als vleermuizen in een grot waar plotseling licht schijnt. Gedachten over Stella die er niet meer was en Martha die weg was.

Van Stella bewaarde ik slechts een paar kleine dingetjes. Ze pasten in een kinderschoenendoos. En ik legde de XXL-rammelaar opzij. Ik herkende nog vaag het geluksgevoel waarmee ik toen van het lab naar huis was gefietst.

De deur van wat nu niet meer de babykamer was, liet ik open.

Als laatste ging ik naar m'n computer en wiste de beelden van hoe het kind Stella liet stikken. Daar kon ik toch niets mee. Stel je voor dat ik de neiging zou krijgen er steeds weer naar terug te keren. Ook ik kon definitief afscheid nemen.

Aan het einde van de dag ben ik naar m'n moeder gegaan, die blij keek dat ik naar haar toe kwam, maar tegelijk ook bezorgd was.

'Is er iets met Martha?'

Toen heb ik het hele verhaal van de laatste weken verteld. Ze nam m'n hoofd in haar handen.

'Ach jongen, ach jongen.' Meer kon ze niet, meer hoefde niet.

Die nacht heb ik bij haar op de bank geslapen, een slaap zo diep als ik in maanden niet had meegemaakt.

De dag erop ben ik eerst langs de flat gegaan, heb me omgekleed en ben toen naar het werk gefietst met een vreemd energiek gevoel dat dit een nieuw begin was. Ik wist niet of het zou duren, maar het was er onmiskenbaar.

We stellen ons dikwijls vragen over het nut, de functie van dingen die we ontwerpen. We doen hetzelfde bij zaken die geen ontwerp kennen: waarom de aarde, waardoor een ster, waartoe de dood?

Zinloze vragen.

4

Maria en het kind

T

samenloop

Maria's woorden konden zo uit een luciferdoosje komen: ze vlamden en gaven warmte. En doordat Maria graag woorden gebruikte, straalde ze veel warmte uit. Bij haar was het behaaglijk. Mensen voelden zich onmiddellijk op hun gemak, net als bij mijn moeder.

Het duurde overigens een tijd voordat ik daar mee te maken kreeg: haar warmte en hoe het kon vlammen.

De eerste maanden na Stella's dood waren een regelrechte kwelling. Ik zeg het maar eerlijk zoals het was. Martha was weg en bleef weg. Ze had het aangekondigd en hield zich er aan. Dat schoof ik zoveel mogelijk naar een uithoek van m'n beleving. Misschien zou ik ooit de moed hebben onder ogen te zien hoe dat gegaan was.

Eerst moest ik naar mijn gevoel zien te overleven en wennen aan de pijn die zich als een granaatscherf diep onder mijn huid had genesteld: het verlies van Stella en hoe het kind dat had teweeg gebracht.

Er was gelukkig de monotonie van de tredmolen: elke dag naar het werk. Ik was volledig het besef van de dagen kwijt. Wat mij betreft kon welke dag ook zaterdag zijn, of vrijdag, of iets er tussenin.

Ik heb verschillende keren voor een dichte deur van het lab gestaan, alvorens te beseffen dat het al weekend was.

Het werk zelf was goed voor me. Het hield me heel de dag bezig. Bovendien moest ik er goed het hoofd bijhouden, anders ging een opdracht de mist in. Zat er iemand onbedoeld met een slechte brug als resultaat. Dat mocht niet te vaak gebeuren.

Zoals ik een half jaar geleden vroeg van m'n werk weg ging, bleef ik nu juist wat langer 'om nog even iets af te maken'.

Het contact met de collega's was miniem. Zij waren onthand met mijn situatie en ik wilde en kon er niet over praten. Met één van de dames handelde ik het noodzakelijke aan administratie af.

Niemand keek ooit nog naar m'n sokken. Dat was voorbij. Ik voelde me leeg tot op de bodem. Als mensen per ongeluk tegen me aan stootten, was ik bang dat ik een hol geluid zou geven.

In de flat - inmiddels mijn flat - was het een grote zooi. Dat was eigenlijk de belangrijkste reden dat ik Maria - de paar keer dat ze aanbelde om te vragen hoe het met me ging - zeer kort te woord stond. Daarbij hield ik de deur op een kier en deed hem snel weer dicht, alsof ik bang was dat anders de kou zou ontsnappen.

Aan de kamer waar Stella het grootste deel van haar leven had doorgebracht deed ik niets, maar ik liet de deur wel open.

Wanneer zou ik die kunnen sluiten, vroeg ik me af. Zou dat moment ooit komen, dacht ik dan wanhopig.

Ken je het gevoel dat je wakker schrikt uit een verdrietige droom, en daarna je ogen wijd open spert om wakker te blijven om niet dezelfde droom terug te krijgen?

Op zulke momenten besefte ik, tot in merg en been voelde ik het dan, dat dit verdriet deel was van een allesoverheersende droom waaruit ik waarschijnlijk nooit wakker zou worden.

Vrijwel elke dag ging ik naar m'n moeder. Als ik niet kwam, belde ze hoe het met me ging. Ik at daar en bleef dan nog een tijdje hangen.

Af en toe klom ik op haar scootmobiel die in de hal geparkeerd stond en haalde er de gekste capriolen mee uit, als een stuntrijder die zich van geen gevaar bewust is of juist het gevaar zoekt.

Vervolgens was er het afscheid om naar huis te gaan.

'Doe je voorzichtig, jongen?'

'Ja, mam.'

'Zorg je goed voor jezelf, jongen?'

'Mmmm, ja, mam.'

Ze deed dan altijd iets goed aan m'n jas of aan m'n jack, alsof ze moeite had me te laten gaan. En dan was er de bekende gang naar de flat en wat me daar te wachten stond: vroeg naar bed en pas laat kunnen slapen.

Op een dag was ik eerder uit m'n werk om wat boodschappen te doen in de supermarkt op de hoek. Het moet wel maandag geweest zijn, want ik kwam er Maria tegen. Ze keek me aan alsof het hoge woord eruit moest.

'Ik weet dat je liever niet met mensen praat, zeker als het over Stella gaat, maar ik wil je toch spreken. Jij bent de enige die me kan helpen. Mag ik alsjeblieft even bij je langs komen om het daarover te hebben? Het is echt dringend.'

Ik weet zeker dat ik Maria, als ze had aangeboden mij te helpen of als ze op een andere manier haar medeleven had willen tonen, de figuurlijke deur meteen met een harde klap in haar gezicht dicht had geslagen. Maar nu vroeg ze hulp aan mij.

'Loop maar meteen mee.'

Het was niet zo'n praktisch voorstel, want Maria liep daardoor met haar boodschappen naar mij toe terwijl ze de andere kant op woonde, maar ze ging zonder bezwaar mee.

Zo liepen we elk met onze plastic tassen naast elkaar naar mijn flat, als een bejaard stel dat terug komt van z'n wekelijkse uitje aan inkopen.

We waren nog niet binnen of Maria barstte los.

'Het gaat niet goed met Madelon. Ik weet hoe pijnlijk dit voor jou is, maar sinds Stella is ze niet meer zichzelf. Ze was altijd zo vrolijk en nu zit ze als een vleugellam vogeltje in elkaar gedoken op de bank thuis. Ze neemt geen vriendinnetjes meer mee en gaat ook niet naar ze toe. Het loopt niet lekker op school. Docenten maken zich zorgen over haar. En ze wil niet zeggen wat haar dwars zit. Maar dat er iets ontzettend in de weg zit is wel duidelijk.'

'Gisteren,' Maria kreeg tranen in haar ogen toen ze het vertelde. Ze ging er eindelijk bij zitten. 'Gisteren zat ze weer zo en toen heb ik niks aan haar gevraagd, maar haar alleen maar een tijd tegen me aan gehouden en gewiegd als een baby. Toen heb ik gezegd: "Je bent heel erg verdrietig, hè?" Het arme kind knikte even. "Heeft het met Stella te maken?" vroeg ik haar. Ze knikte weer, nauwelijks merkbaar. "Daar ben je niet alleen verdrietig over, toch?" vroeg ik verder. Ze schudde haar hoofd. "Wat is er dan nog meer dan dat je je verdrietig voelt?" Ze trok haar benen op tegen zich aan en begon aan haar sokken te plukken. Toen kwam het er eindelijk heel zachtjes uit: "Ik ben bang." Ik zeg: "Maar liefie je hoeft toch helemaal niet bang te zijn! Waar ben je dan bang voor?" Ze fluistert: "Ze denken vast dat het ook mijn schuld is." M'n hart brak toen ik dat hoorde. Dus daar had ze al die tijd mee gezeten, de arme schat. Ik zei: "Maar meisje van me, iedereen weet toch dat je er niets aan kon doen. Dat weet Stella's vader ook vast wel. Zal ik naar hem toe gaan en vragen of hij erover komt praten en je dat kan vertellen?" Ze schrok toen ik dat zei, maar knikte na een tijdje dat ze dat wilde.'

Maria legde haar hand op mijn samengebalde vuisten en keek me smekend aan.

'Ik weet dat dit heel moeilijk voor je is, maar zou je het toch willen doen? Zeggen dat je het haar niet kwalijk neemt?'

De stilte die volgde was als de stilte tussen bombardementen.

Maria bleef mijn handen vasthouden tot mijn vingers zich ontspanden. Ik wist, dit was de uiterste consequentie van mijn zwijgen over wat het kind eigenlijk had gedaan. Alleen had ik nooit gedacht dat dit ervan zou komen.

Uiteindelijk knikte ik, ook nauwelijks merkbaar.

We stonden op. Maria hield me even vast.

'Ik weet niet hoe ik je moet bedanken. Ik weet hoeveel pijn dit je moet doen.'

Ik was nog maar van heel weinig zeker, maar dit stond voor mij vast: dat wist Maria beslist niet.

Het was een zware gang naar Maria's huis. De zwaarte ervan, dacht ik cynisch om mezelf onderweg niet volledig kwijt te raken, werd benadrukt doordat ik de boodschappen die Maria had gedaan voor haar droeg.

Bij binnenkomst zag ik het kind en begreep ik waarover Maria inzat. Het was geen schim meer van het levenslustige meisje dat ooit bij ons was komen aanwaaien.

Toen gebeurde waartegen ik me later nog meer moest wapenen omdat ik het per se niet wou: ik kreeg met haar te doen. Begon sympathie te voelen.

Daardoor kostte het me op dat moment minder moeite dan ik had verwacht: ik deed hetzelfde als Maria bij mij. Ik pakte de handen van het kind in mijn handen en keek haar aan.

'Weet je, er gebeuren verschrikkelijke dingen die we beslist niet willen en ze gebeuren toch. Dat noemen we "ongeluk", want erger contrast met geluk bestaat er niet. Zo'n ongeluk is er met Stella gebeurd. En ik weet zeker dat je dat ongeluk echt niet wilde. Dat weet iedereen.'

Het klonk oprecht, al was het niet waarheidsgetrouw. Maar wel zo veel mogelijk. En of ze het begreep weet ik ook niet, maar het was duidelijk dat het haar geruststelde.

Ze keek naar Maria, die haar liefdevol toeknikte, en liep toen naar haar kamer.

Ik weet niet precies, toen Maria en ik bij de buitendeur stonden, wie er van ons tweeën het eerst begon te huilen. Het maakt ook niet uit. Ik vertel het zoals ik het me herinner.

Maria hield me even vast en wilde me bedanken.

In plaats van woorden, kwamen er grote snikken.

Of het door haar kwam of door de spanning die zich moest uiten, wie zal het zeggen, maar ik kreeg me toch een huilbui! Alsof het verdriet dat ik de afgelopen maanden had opgezouten alleen in tranen eruit kon komen.

We omarmden elkaar en hielden elkaar troostend vast.

Het kind keek om de hoek van haar deur. Maria zag dat door haar tranen heen, wenkte haar en legde haar arm om haar dochter heen.

Zo stond ik een tijdje met Maria, en Maria met mij en het kind. Ik denk dat het voor alledrie een bevrijdend moment was.

'Waarom blijf je niet eten?' stelde Maria voor toen iedereen weer wat gekalmeerd was. 'Volgens mij vindt Madelon dat ook prima. Ja, toch?' vroeg ze aan het kind. Dat knikte.

Ik vermoed dat toen het besef is ontstaan dat Maria mij kon troosten in wat ze wist dat was gebeurd. Ik haar in wat ze niet wist en nooit zou weten.

Halverwege de maaltijd belde m'n moeder op mijn mobieltje.

'Waar blijf je, jongen? Ik zit al een tijd op je te wachten,' klonk ze ongerust.

Ik was totaal vergeten dat ze op me rekende met eten.

'Ik kom straks nog even bij je langs,' probeerde ik haar gerust te stellen.

'Dat is goed,' zei ze, maar ik hoorde dat de geruststelling niet helemaal gelukt was.

's Avonds ben ik nog snel naar m'n moeder toegegaan. Ik vertelde van mijn bezoek aan Maria. Ik moest haar even helpen wie dat ook alweer was.

'M'n geheugen is niet meer wat het was, jongen.'

Maar toen kon ze zich Maria weer voor de geest halen.

'O ja, een heel hartelijke en aardige vrouw kan ik me herinneren.'

Ik vertelde verder hoe ik Maria toevallig bij de supermarkt was tegengekomen, hoe we daar aan de praat waren geraakt en ik haar geholpen had met de boodschappen naar huis dragen.

Over het kind zei ik niets.

'Hoe is het met haar dochtertje, het meisje dat toen op Stella paste? Verschrikkelijk, het zal je maar gebeuren. Hoe heet ze ook al weer?'

'Madelon, gaat wel goed volgens mij,' zei ik kort.

M'n moeder keek me aan.

'Doe je voorzichtig, jongen? Het is allemaal nog zo vers.'

'Maar mam,' protesteerde ik, 'ik ben alleen maar een keer daar gaan eten.'

'Ja, jongen, dat is zo.'

Daarna zaten we een tijd stil te schemeren, allebei in onze eigen gedachten verzonken - over hetzelfde.

Bij het weggaan schikte ze nog wat aan m'n jack,

deed de rits ook iets omhoog, alsof ze nog wat tegen me wou zeggen.

Uiteindelijk besloot ze kennelijk om dat maar niet te doen, maar eigenlijk kon ze me ook niet zomaar laten gaan.

U

verkenning

De maandag erna liep ik weer bij de supermarkt, op dezelfde tijd. Mijn gevoelens waren de hele week heftig heen en weer geslingerd alsof ze aan een snelle metronoom vastzaten.

Maria had wat in mij geraakt, dat was duidelijk.

Wilde ik daar wat mee? Ja, dat was ook duidelijk. Maar wat deed ik dan met het kind en zou ik dat wel aankunnen?

Ik droomde verschrikkelijk, met name over Stella. Beelden van geluk en geweld drongen elke nacht binnen.

Na veel gepieker besloot ik het er gewoon op te wagen en te kijken hoe het zou lopen.

In de supermarkt voelde ik me een houterige puber die van alles zo onhandig aanpakt dat het zo uit z'n handen kan glippen, zeker zoiets breekbaars als geluk.

Maria en ik zagen elkaar en wisten het meteen: dit was geen toevallige ontmoeting. Dit hadden we allebei gehoopt en gewild. Alleen, we durfden het niet te zeggen. Ieder was wel zeker van zichzelf, maar niet van de ander. Nog niet. De werkelijkheid uitspreken kon die dan juist teniet doen.

Dus toen we uit verlegenheid niet zoveel wisten te zeggen, pakte ik de situatie op klassieke wijze aan: ik bood Maria aan de boodschappen voor haar te dragen. Dat bracht me vanzelf bij haar huis.

Intussen hadden Maria's woorden onderweg het ijs doen smelten dat er even uit onwennigheid tussen ons was. Ik bleef dus weer eten.

Deze keer belde ik m'n moeder op tijd. Ik hoorde haar aarzelen voordat ze zei: 'Veel plezier, jongen.'

In het begin troffen Maria en ik elkaar elke maandag. Daarna kwam ik een paar keer per week eten en bleef ik nog wat hangen, zoals bij mijn moeder.

Op de duur kookte ik dan voor Maria, mij en het kind, want Maria had de winkel open tot zes uur en dan moest ze nog afsluiten. Ik was eerder uit mijn werk.

Het kind voelde zich steeds meer op haar gemak bij me. Ze vertelde af en toe ook rechtstreeks iets aan mij, over school bijvoorbeeld, en ik zag dat dat Maria goed deed.

Dikwijls ging het kind daarna naar een vriendinnetje om nog wat huiswerk te maken.

'Ja, ja,' zei Maria dan plagerig, 'zeker lekker roddelen over leuke jongens en stomme leraren.'

Dan verdween het kind met een kleur, om een paar uur later met een nog grotere kleur van 'het huiswerk' thuisgebracht te worden door een ouder van het vriendinnetje.

Op een avond zaten Maria en ik op de bank naar het nieuws te kijken dat we om zes uur gemist hadden. Het kind was net de deur uit. Maria legde haar hand op die van mij en zei eenvoudigweg: 'Kom, we hebben een paar uur.'

Maria was een paar maanden ouder dan ik. Vanaf een bepaald moment in het jaar was ze dus, zei ik dan, 'afgrijselijk oud', namelijk in getal een heel jaar ouder dan ik.

Ze was enig kind.

'Mijn ouders waren hartstikke gek met me,' vertelde ze. 'Ik was hun idool. Ze hadden het niet breed, maar ik werd straal verwend. Vanaf het begin werd ik opgetut als een prinsesje. Dat was ik voor hen ook. Heel hun leven draaide om mij. Steeds meer, want er kwamen geen kinderen meer bij.'

Dat was het makkelijke deel van haar verhaal. Ze nam weer mijn handen in haar handen.

'De rest moet je ook horen. Als je het daarna niet meer met me ziet zitten, moet je niks zeggen, maar gewoon de deur uit lopen en niet terugkomen.'

Ik wou iets geruststellends zeggen, maar ze legde haar vinger op m'n lippen.

'Nee, luister eerst verder, alsjeblieft. Vanaf m'n vijftiende ging ik vaak naar feesten, wat m'n ouders niet goed vonden, maar ik deed het toch. Dan bleef ik tot hun verdriet bij een vriendinnetje slapen en kwam ik de volgende dag pas thuis.

Alleen, het vriendinnetje was af en toe een vriendje. Volgens mij vermoedden ze zoiets wel, maar vroegen ze er niet naar om niet meer te hoeven weten.

Op m'n zeventiende werd ik zwanger van een jongen van wie ik toen helemaal weg was. Hij niet zo van mij. Ik was leuk voor één nacht, zo bleek. Hij wilde dat ik abortus liet plegen. Waarom weet ik niet, maar alles in mij verzette zich daartegen.

Ik had er als een berg tegenop gezien om het m'n ouders te vertellen dat ik in verwachting was. Wat waren ze boos en ook teleurgesteld! M'n moeder dacht al dat er iets aan de hand was: zij deed de was.

Natuurlijk wilden ze weten wie het kind verwekt had, want dan konden ze naar zijn ouders gaan en bespreken wat we het beste konden doen.'

Maria keek me verdrietig, maar ook trots aan.

'Ik wilde dat niet. Het was duidelijk hoe weinig ik voor die jongen betekende dus met hem verder gaan had geen zin. En het kind in mij gaf me juist houvast. Dat wilde ik houden. Ik heb ze dus niet verteld wie de vader was.

Ze hebben van alles geprobeerd om het uit me te krijgen: gesmeekt, gesoebat, gedreigd, me in m'n kamer opgesloten. M'n opa en oma op wie ik dol was, m'n eigen vriendinnen hebben ze er toe aangezet bij mij de naam los te peuteren. Ze zijn er niet in geslaagd.

Waar ze wel in geslaagd zijn, is om me een bepaald wantrouwen voor mensen bij te brengen. Ja, ik weet het, ik lijk zo sociaal en tot op zekere hoogte is dat gelukkig ook zo - anders zou ik niks verkopen, weet je - maar daaronder geloof ik niet zo in mensen. Alleen bij jou is dat anders.

Nou, het eind van het liedje was: m'n ouders hebben toen met me gebroken. Ik was de prinses die van haar voetstuk was gevallen. Ik maakte hun leven te schande.

Ze hebben me op m'n achttiende naar een tante en oom gebracht in het verre noorden. Daar heb ik ver weg van iedereen Madelon gekregen. Niemand heeft wat van zich laten horen.

Nadat zijn vrouw overleden was, vond m'n oom het niet passen om alleen met een ongetrouwde, jonge moeder in hetzelfde huis te wonen.'

Toen ik geschokt keek, zei ze: 'Nee, dat kan ik me nu en kon ik me ook toen wel voorstellen. In zo'n gehucht wordt er heel snel geroddeld en geoordeeld.

M'n oom was eigenlijk een schat van een man. Hij heeft het toen zo geregeld dat ik in de stad een appartementje kon huren en hij heeft tot zijn dood, vijf jaar daarna, de huur voor mij betaald. Toen ik wegging, heb ik hem plechtig laten beloven dat hij mijn adres aan niemand zou geven. Ook daar heeft hij zich aan gehouden.

Het meest verdrietige vind ik nog steeds dat ik

niet naar zijn begrafenis kon, want daar kwam mijn familie en die wilde ik niet zien.

Via mijn oom had ik ook een baantje gevonden. Doordat hij de huur betaalde, kon ik zelfs een beetje sparen voor m'n ideaal: een eigen winkeltje. In de avonduren heb ik m'n ondernemersdiploma gehaald.

Een paar jaar geleden ben ik hiernaartoe verhuisd - nog steeds ver weg van mijn familie, want die hoef ik echt nooit meer tegen te komen - en ben ik met Kiddies begonnen.'

Maria's blik ging even naar beneden, maar toen keek ze me weer aan.

'Het is wel verdriet dat ons bindt, hè?'

'Ja, maar echt niet dat alleen.'

'Nee,' beaamde ze.

V

dichtmaat

Maria had tussendoor verschillende relaties gehad, ‘maar geen een bleef lang,’ vertrouwde ze me toe.

‘En af en toe had ik een vriendje om lekker mee te vrijen en dat was het dan. Jij hebt dat nooit gehad, hè? Een vriendinnetje, bedoel ik natuurlijk. Zomaar een vriendinnetje tussendoor.’

Ze keek me geamuseerd aan en ik wist waar ze op doelde. De eerste keer dat Maria en ik vrijden werd wel duidelijk wie de ervaring had.

‘Nee, niet echt,’ zei ik terwijl m’n gezicht m’n woorden kleur gaf.

‘Geeft niks, hoor,’ lachte Maria. ‘En weet je, je hebt van die zalige streelhanden. Zoals jij dat doet, dat heb ik echt nog nooit meegemaakt.’

Ze keek me vervolgens pesterig aan.

‘Waar ik wel benieuwd naar ben: hebben al die tandtechnici zulke heerlijke handen?’

‘Nee, natuurlijk niet,’ zei ik gemaakt kwaad. ‘Wat denk je wel. Dat heb ik alleen. Straks ga je nog in de Gouden Gids onder tandtechnicus zoeken en mensen bellen voor een vergelijkend warenonderzoek in streelhanden.'

We moesten allebei lachen. Heerlijk om ons zo vertrouwd bij elkaar te voelen dat we er in alle openheid over konden praten en er grappen over konden maken.

Eentje kan ik wel vertellen, want dat was zo'n prachtig gebeuren.

Een paar weken na de eerste keer dat we met elkaar vrijden, ging het kind bij een vriendinnetje logeren. Maria vond het aan de ene kant wel eng, maar ook fijn, want daaraan zag ze ook hoe haar dochter opgefleurd was.

Zo hadden we niet slechts 'een paar uur', maar een lange avond, een hele nacht en ook nog eens de ochtend erna.

We hebben toen eerst samen heerlijk gedineerd, bij kaarslicht en met een chique fles wijn.

Het toetje - of het 'dessert' moet ik natuurlijk in deze 'ambiance' zeggen - hebben we gelaten voor wat het was. We zijn gelijk naar bed gegaan.

Die nacht hebben we goddelijk gevrijd en heb ik Maria - maar ook mezelf - verbaasd met wat ik allemaal kon met m'n streelhanden. We kwamen eerst min of meer gelijk. Daarna, wisten we, was het meestal met mijn komen wel klaar. Maar dan begon wat we allebei zo heerlijk vonden: ik streelde Maria tot ze weer kwam. En af en toe - als er tijd was - nog eens.

Deze keer hadden we alle tijd en dat beseften we

strelenderwijs. Maria bereikte zes keer een climax. Toen fluisterde ze: 'Nou is het echt genoeg, hoor. Anders weet ik niet wat er met me gebeurt. Dit is zo zalig!'

'Ja,' zei ik, en ik streelde intussen zachtjes verder.

Ik voelde de spanning bij Maria langzaam weer toenemen. Ze ging deze keer weer mee met mijn gebaar. Ook de zevende keer kwam ze. Maria slaakte een lange, hoge en doordringend gil. Ze lag even stil en begon toen hevig te huilen.

'Let maar niet op mij,' snikte ze, 'maar het was zo fijn.'

Ik zei niets, legde mijn arm om haar heen en zij gleed er niet onder vandaan.

Daarna lagen we nog een tijd lepeltje lepeltje, ik achter haar, tot ik weer opwinding begon te voelen. Toen ben ik op m'n rug gaan liggen om een slaperige Maria daar niets van te laten merken. Genoeg is een feest. Royaal genoeg is een vorstelijk feest.

De volgende ochtend ontbeten we samen. We zeiden niet veel. Zaten allebei nog met ons hoofd in de roze wolk van die nacht.

'Wat was dat heerlijk!' zei Maria na een tijdje genietend samen zwijgen. 'Vond jij het ook zo fijn? Vroeg ik niet teveel? Ik bedoel, ben jij ook aan je trekken gekomen? Nou ja, zo klinkt het wel erg platvloers, maar wat ik wil zeggen is, heb jij ook de aandacht gehad die je wilde? Ach, wat zeg ik dat toch stom! Maar ja, je weet wel wat ik bedoel.'

'Ik vond het één groot feest,' zei ik. 'Ik vind het zo heerlijk om je te strelen. Dat kan ik wel dagen doen.'

Ik keek haar plagerig aan om duidelijk te maken dat ik het niet serieus bedoelde: 'Bovendien, het heeft wel wat, zo'n zevenklapper met een gillende keukenmeid!'

Maria keek eerst geschokt, bloosde en zei toen met gespeelde verontwaardiging: 'Pas maar op, anders geeft deze keukenmeid je gillend een duizendklapper op dat seksbeluste hoofd van jou!'

Maria maakte bij mij gevoelens wakker waarvan ik het bestaan niet wist. Ik werd er zelfs lyrisch van.

Op haar verjaardag heb ik de opmerking over de 'zevenklapper', die - ik geef het toe - best op het randje was, goedgemaakt met een gedicht voor haar.

Ik wist zelf niet dat ik het in me had.

DESSERT
Ter afronding van ons diner à deux
offreerde je me genereus
één nacht ijs
waar ik aan 't einde van mijn culinaire reis
minutieus verkennend
- mezelf vermannend tegen mogelijke gevaren –
overheen mocht gaan.
Smaak bekennend
neem ik dat aanbod, met steeds zekerder gebaren,
elke keer flamberend aan.

Maria las het en kreeg tranen in haar ogen.

'Zo is het, voor ons allebei,' fluisterde ze ontroerd.

Toen ik daarna op m'n flat terugkwam, keek ik rond als een adoptiekind dat na lange tijd terugkeert naar eigen land en zich er vreemdeling voelt.

Op het lab liep ik weer wat vrolijker en meer aanspreekbaar rond. Af en toe betrapten anderen en ikzelf me erop dat ik weer gedachteloos iets voor me uit floot. Meestal 'It never entered my mind', maar nu wel in de uitvoering van Ben Webster: meer romantiek, weliswaar met onderliggend verdriet, maar niet overheersend.

'Volgens mij ben je verliefd, je bent zo anders,' waagde één van de twee dames van de administratie tegen me te zeggen.

Ze hadden het er vast samen over gehad. Misschien wel afgesproken wie er wat over zou zeggen.

Ik dacht er even aan m'n broekspijpen op te trekken, maar dat was zinloos geweest. Ik had die sokken weggegooid. Maar wat belangrijker was: ik had dat gebaar niet meer nodig. Van Maria kende ik inmiddels andere gebaren. Dus knikte ik alleen maar stralend.

Als ik samen met Maria was, voelde ik rust: de rust wanneer het verdriet naar een verre hoek van je geheugen is geschoven en er daardoor plaats is voor iets anders.

Met het kind erbij werd die rust drastisch verstoord. Dan was het een heel ander verhaal.

W

het kind en ik

Eigenlijk had ik verwacht dat er wel problemen zouden ontstaan tussen het kind en mij. Dat was niet het geval. Ik kreeg een conflict over het kind met mezelf.

Het was een innerlijke verscheurdheid, te vergelijken met die van een pedofiele badmeester.

Niet dat ik allerlei seksuele gevoelens had voor het kind. Maar ik merkte dat ik steeds meer genegenheid kreeg voor haar. Hoe dat kon, terwijl ik eerst alleen maar bitterheid voelde bij haar? Ik wist het niet.

Ik vocht ertegen met alle kracht. Ik wilde haar niet aardig vinden. Ik wilde haar haten.

Die gevoelens van genegenheid, die ik ondanks mijn innerlijk verzet toch had, trokken me een kant op die ik per se niet wou gaan. Dat voelde als verraad aan Stella.

'Maar,' dacht ik dan als we aan tafel gezellig met z'n drieën zaten te eten, 'het is niet gek dat ik haar ook wel mag, want ze was de enige andere bij wie Stella stil werd. Dat moet zo z'n reden hebben.'

'Dat kan wel zo zijn, maar Stella werd ook hartstikke definitief en voorgoed stil bij haar. Dat mag je nooit vergeten,' beantwoordde ik mezelf.

Als ik haar hielp met haar wiskunde, bijvoorbeeld, kwamen mijn vragen als braaksel naar boven en had ik ze wel uit kunnen spugen.

'Wat voel je zelf? Denk je nog wel eens aan dat afgrijselijke moment? Wat voelde je toen, toen je wist dat ze dood was? En dat jij het had gedaan? Wat voor gevoel had je toen je op de bank op Martha en mij zat te wachten alsof er niks gebeurd was? Waardoor kan je nu zo normaal tegen me doen? Heb je alles zomaar weg kunnen schuiven? Verwacht je stilletjes dat ik dat ook kan?'

Dat kon ik allemaal niet vragen, want dan zou ze beseffen dat ik het wist. De schone schijn zou oplossen als dunne mist - en Maria en ik zouden tegenover elkaar komen te staan.

Dan slikte ik alle vragen weg en probeerde me te verliezen in het wiskundeprobleem waarin zij op een heel andere manier de weg was kwijtgeraakt.

Dat iemand menselijker voor je wordt, wil niet zeggen dat ze meer mens voor je wordt, hield ik me telkens voor als ik merkte dat het wat beter dreigde te gaan tussen ons. En mezelf voorhouden dat dit eigenlijk een goede ontwikkeling was, klonk hetzelfde als tegen een soldaat die zich ingegraven heeft zeggen: 'kop op!'

Aan het kind was niets te merken. Het leek er inderdaad op dat ze de dood van Stella achter zich had gelaten en gewoon opnieuw was begonnen. Of eigenlijk gewoon verder was gegaan als voor die tijd: het redelijk zorgeloze kind dat ze altijd al was geweest en dat het nu gelukkig goed kon vinden met de nieuwe vriend van haar moeder.

Ze had elke dag hele verhalen over school. Maria en ik konden daar vanuit onze eigen ervaring van vroeger over mee praten. Er bleek weinig tot niets veranderd te zijn. Bovendien was er goed nieuws.

'Zoals het er nu naar uitziet kan ze vanuit 1 havo/vwo gewoon doorstromen naar 2 havo/vwo en hoeft ze niet een niveau terug naar 2 vmbo, de theoretische leerstroom,' zoals haar mentor het zei.

En als we daar enthousiast over zaten te praten, flitste het opeens door me heen: ik had al een tijd niet aan Stella gedacht.

De paniek golfde dan door me heen dat ik straks zelfs niet meer zou weten hoe ze er uitzag.

Meestal bracht ik het weekend bij Maria door. In het begin sliep ik er alleen van zaterdag op zondag en af en toe ook de zondagnacht.

Als het kind thuis sliep, wat meestal het geval was, kreeg vrijen iets extra spannends. Niet dat we dat nodig hadden, maar zo werkte het wel.

'We moeten wel stil doen. Stel je voor dat Madelon ons hoort. Dat wil ik beslist niet,' zei Maria als we net in bed lagen.

Dan begon ik haar te strelen - een natuurvorser die geniet van het vertrouwde landschap en van het kleine detail dat nieuw lijkt, al is het maar door een andere lichtval.

Ik plaagde Maria dan een beetje.

'Ik ben stil genoeg. Maar ik ken iemand die daar moeite mee heeft, zich stil houden.'

'Ja maar, ik moet er niet aan denken dat Madelon hiernaast ligt en denkt "Wat zijn die nou allemaal aan het doen?" En nog erger, dat ze dan komt kijken!'

'Ach weet je,' stelde ik haar gerust, 'volgens mij ligt ze met haar eigen muziek op te appen naar haar vriendinnetjes, dus hoort ze niks. Trouwens, ze denkt vast over ons, wat wij vroeger over onze ouders dachten: die doen het beslist niet meer op deze leeftijd.'

'En,' zei ik dan, 'misschien gold dat wel voor hen, maar voor ons beslist niet, toch?'

Het gelukzalige moment dat Maria zich dan naar me toekeerde en me vol aankeek.

'Nee, voor ons niet.'

Op de zondagochtend kwam het kind dan bij ons in bed. Dat was ze als klein kind al gewend bij Maria te doen. Ook al lag ik erbij, dat bleef vanzelfsprekend voor haar.

De eerste paar keer zorgde ik er angstvallig voor dat Maria in het midden lag. Daarna had ieder z'n plek gevonden.

Af en toe kwamen het kind en ik elkaar tegen wanneer zij haar arm om Maria heensloeg en ik er al met mijn arm was. Dan trok ik me terug.

Meestal ging ik dan ook uit bed, een uitgebreid ontbijt voor ons drieën maken en bleven Maria en het kind nog een tijdje liggen kletsen.

De zondagnacht bij Maria slapen deed ik dus niet vaak, ook al drong ze er elke keer op aan.

'Toe joh, blijf nou, dat is toch gezellig.'

Op de maandag moest ik werken en Maria had dan vrij.

'Vrij?!' reageerde ze altijd meteen als ik het zo noemde. 'Je moest eens weten wat ik allemaal in huis en voor de winkel moet doen op die dag. Vrij! Nou ja!'

Ondanks die 'drukte' kon ze zich veroorloven op de maandagochtend wat langer te blijven liggen. Dan moest ik vroeg op en het kind - als er geen docent ziek was en ze door school gebeld of gesms't werd - ook.

Het was zalig om Maria 's maandags, voordat ik uit bed ging, even vast te houden. Als ik wegging trok ik het dekbed voorzichtig een klein stukje naar beneden en kuste ik haar zachtjes. Dan straalde Maria zelfs door haar slaap heen. Het was een klein en huiselijk gebaar dat ons beiden gelukkig maakte. Het gaf ons een getrouwd gevoel. Het was even onbeduidend en verreikend als zelf bouillon trekken:

het stelt weinig voor, maar vult het hele huis met een heerlijke geur. Dat geluksgevoel hoorde bij de maandag als ik Maria voor even vaarwel kuste.

Wat er niet bij hoorde, en die sfeer verstoorde, was het kind dat rondliep om naar school te gaan.

Wanneer het kind er was en ik leunde achterover, dan was dat voor mij net zo ontspannen als achterover leunen bij touwtrekken.

Het moeilijkste moment voor mij kwam als het kind naar bed ging en ons allebei welterusten kuste. Bij haar nachtzoen voelde ik dan de ontroering van toch een dochter hebben. Ja, zelfs van deze dochter hebben en tegelijk de weerstand ertegen. Het leek op de stille omhelzing van de spin en de vlieg. En ik was er beslist nog niet uit: wie was wat?

X

exit

Doordeweeks ging ik een enkele keer naar m'n moeder en op de zaterdag - dat was een vaste gewoonte - ging ik 's middags bij haar op de thee.

We zaten dan bij elkaar zoals we vroeger 's avonds zaten te schemeren samen. Maar nu met een schaal luxe koekjes in plaats van een enkel biscuitje en met de tv aan. Die zette ik altijd meteen een stuk zachter als ik binnenkwam.

Aan het einde van de middag liep ze dan moeizaam naar de keuken om wat hartige hapjes klaar te maken. De keukendeur ging dan altijd dicht. Daar moest ik me niet mee bemoeien, laat staan aanbieden te helpen. Dat was nog steeds haar domein - en ook haar manier om mij te verwennen.

Als ze met de warme hapjes de kamer inkwam, zei ze altijd: 'Neem er maar lekker van, jongen, je hebt het verdiend.'

Op een zaterdag wilde ik naar m'n moeder toegaan en werd ik onaangenaam verrast door het kind dat vroeg of ze mee mocht. Ik sputterde wat tegen, zei dat ik niet wist of het uitkwam. Maar ik zag ook dat ik er niet echt onderuit kon. Belde m'n moeder met de bij voorbaat vergeefse hoop dat zij zou zeggen dat het niet uitkwam.

'O ja, leuk. Neem Madelon maar mee. Gezellig!' zei ze onmiddellijk.

Daarna gingen het kind en ik 's zaterdags af en toe samen naar m'n moeder.

Ook Maria vond dat vanuit haar winkel een geruststellend idee.

'Dan is ze niet zo'n hele middag alleen. Bovendien zit ze anders maar steeds naar mij te appen of belt ze me, terwijl ik het stikdruk met klanten heb.'

Mijn moeder had het naar haar zin met het kind. Ze vroeg altijd naar haar school en kon dan mooie verhalen over vroeger vertellen, hoe anders het er toen aan toe ging.

'Neem nog maar een koekje, kind. Jij moet er nog van groeien,' onderbrak ze haar eigen verhaal dikwijls.

En ze genoot ervan om op een bepaald moment naar de keuken te gaan en een extra grote hoeveelheid hapjes te frituren.

Intussen zat ik meestal televisie kijken of ik ging in de hal wat op m'n moeders scootmobiel rondkarren.

Het kind kwam dan ook naar de hal om over de stad uit te kijken of ze ging helemaal naar beneden om met mensen in de ontvangsthal een praatje te maken.

Er was altijd wel iemand daar die vroeg hoe oud ze was en op wat voor school ze zat.

Ze kwam weer naar boven als mijn moeder met een grote schaal met lekkers uit de keuken tevoorschijn kwam, alsof ze het van elf etages lager kon ruiken.

Deze zaterdagmiddag ging het kind met me mee. In de auto vroeg ik haar twee keer vriendelijk en een keer kort of ze haar riem goed wou vastmaken. De derde keer keek ze me niet onwelwillend aan.

'Ja, rustig maar,' mompelde ze door haar muziek heen.

In de hal van RosenStaete vroeg de receptioniste ons om van de dienstlift gebruik te maken. Aan de deur van de personenlift hing een bordje 'Buiten gebruik'.

'Ja, excuses voor het ongemak. De lift is vanochtend kapot gegaan. En het heeft allemaal wat langer geduurd dan we hadden gehoopt. Nu is ook de monteur nog eens tussendoor naar het magazijn, omdat hij een onderdeel dat hij nodig heeft niet bij zich heeft. Lastig, hoor. Maar ze hebben plechtig beloofd dat het aan het einde van de dag verholpen is. Tot zo lang kunt u gebruik maken van de dienstlift.'

Het kind vond het wel interessant, zo'n veel grotere lift. Ze liep onderweg naar de twaalfde verdieping in de lift heen in weer om in grote passen te meten hoe lang die wel was.

In de hal bij mijn moeder zagen we dat de deur van de gewone lift open stond. Die kon kennelijk niet meer dicht. Er was van dat roodwitte lint voor gespannen en daar weer voor stond een geel bord op de vloer met 'Pas op!'

'Daar kan je dus beter maar niet al te dicht bij komen,' waarschuwde ik het kind.

Zoals gewoonlijk stond de deur bij m'n moeder open. Al ging ze haar kamer niet uit, de deur open zetten was één van de eerste dingen die ze deed als ze opstond.

We kwamen binnen en terwijl ik de tv wat zachter zette, liet het kind aan m'n moeder zien hoe lang de dienstlift wel was door vanaf het raam de passen uit te tellen.

M'n moeder toonde gepaste verbazing. Ze had overigens niets van het ongemak gemerkt, want ze was nog niet naar buiten geweest.

We praatten een tijdje en dronken wat, met een eerste koekje en een tweede koekje 'voor de groei'. Toen verdween m'n moeder naar de keuken en liep het kind de hal op.

Na een paar minuten ging ik ook even naar de hal. Ik had geen zin om tv te kijken. Ik liep de deur uit en zag het kind voor het gele bord staan. Ze leunde op haar tenen naar voren en probeerde over het bord heen in het gat van de lift te kijken. Dat deed ze zo geconcentreerd dat ze me eerst niet eens hoorde.

'Doe je voorzichtig? Niet nog dichter er naartoe gaan, hoor.'

Ze knikte alsof ze de waarschuwing niet hoorde, maar wel dat ze ja moest zeggen.

Ik startte de scootmobiel en reed een rondje.

Hoe het in me opkwam, weet ik niet, maar opeens wou ik een grap met haar uithalen. Ik zou op haar afrijden en haar zo laten schrikken.

Maar als ik terugkijk, moet ik eerlijk zeggen dat ik niet alleen een geintje wou maken. Dat ik haar ook een keer bang wilde zien.

Ik had er behoefte aan eindelijk eens helder en duidelijk echte angst in haar ogen te herkennen.

Ik reed hard op haar af, riep haar en zei: 'Kijk, met losse handen'.

Zij wist niet dat als je het stuur losliet, het apparaat vanzelf remde. Ik was inmiddels zo ervaren dat ik precies kon zeggen waar ik dat moest doen om op tijd stil te staan. In dit geval om vlak voor haar te stoppen.

Het kind keek om, zag me aankomen, deed geschrokken een stap terug, struikelde over het gele bordje en viel zonder enig geluid te geven in de donkere liftschacht.

In die doodse stilte sloeg de paniek bij mij toe. Flarden aan gedachten werden opgejaagd door de storm in m'n hoofd. Het kind was vast niet meer te redden. Ze was gegarandeerd morsdood van zo'n hoogte. Wat moest ik straks zeggen? Hoe moest het verder met Maria? Weer een kind dood!

Wat ik deed was uit lijfsbehoud, zonder er echt over na te denken. Ik zette de scootmobiel op z'n plaats terug. Ging stilletjes naar binnen en op de bank tv zitten kijken. Die zette ik iets harder alsof ik daarmee de stilte die naklonk kon verdrijven.

Een eeuwigheid daarna kwam m'n moeder uit de keuken, met een volle schaal.

'Hoorde je me niet roepen, daarnet?' vroeg ze en gaf zelf het antwoord: 'Dat kan ook haast niet. De tv staat zo hard. Nou, neem alvast wat, jongen. Madelon zal zo wel komen.'

Na een tijdje vroeg ze aan me: 'Het duurt toch wel lang voordat ze komt, vind je niet? Meestal is ze hier zodra er iets op tafel staat.'

'Ik begrijp het ook niet. Zal ik toch maar even gaan kijken?'

Ze knikte.

Voordat ik kon opstaan, werd er aan de deur gebeld en stonden een politieagent en de receptioniste in de kamer. De één met een ernstige blik en de ander met tranen in de ogen.

De politieagent vertelde ons dat de monteur terug was gekomen, de liftdeuren beneden had opengemaakt en daar tot zijn ontsteltenis het kind had aangetroffen. Dood. De receptioniste herkende haar en kon vertellen bij wie ze hoorde.

Mijn moeder en ik keken de agent ontzet aan. Hij

vroeg mij vervolgens of ik, ondanks de moeilijke omstandigheid, mee wilde gaan voor de 'noodzakelijke positieve identificatie'. De receptioniste zou bij mijn moeder blijven.

Ik ging met hem mee de dienstlift in. We stonden elk aan een andere kant van de lange lift somber te zwijgen.

Beneden was een stuk van de hal afgezet. Vanachter de afzetting keken een paar mensen toe hoe iemand, kennelijk een arts, het kind onderzocht.

'Doodsoorzaak, onmiskenbaar een gebroken nek,' hoorden we hem zeggen toen we bij hem kwamen. Hij keek op, vroeg of ik de vader was en wilde me condoleren. Ik vertelde hem dat ik de vriend van de moeder was.

'Desondanks gecondoleerd, meneer.'

Ik ging op m'n hurken zitten en keek het kind in het gezicht. Het klinkt misschien vreemd, maar op dat moment zag ik alleen maar dat ze er vredig bij lag. Ik moest het tegenover de agent bevestigen. Ja, dit was Madelon.

De politieagent knikte.

'Ik meen vernomen te hebben dat u in relatie staat tot de moeder van het slachtoffer?'

'Ja, ik ben haar vriend,' herhaalde ik.

'Ik weet hoe zwaar u dit valt, maar zou u mij willen vergezellen om dit trieste ongeval aan de moeder te berichten? Ik vermoed dat zij uw steun nodig zou kunnen hebben.'

Ik keek naar het kind en knikte, kwam moeizaam omhoog, alsof ik met te zware bepakking door de knieën was gegaan. Ik voelde me een Dutchbatter die een Srebrenicamoeder moet gaan vertellen wat er is gebeurd met haar kind.

Y

bevestiging

De agent en ik kwamen bij Maria's deur. Ook al had ik een sleutel van haar huis, ik durfde niet zomaar naar binnen te gaan.

De agent drukte op de bel alsof hij een officiële handeling verrichtte.

Maria was kennelijk al thuis, want de deur ging open. Ze zag ons staan en begreep onmiddellijk de boodschap.

Haar hand ging naar haar mond en erachter vandaan fluisterde ze met wanhopige blik: 'O nee, dat kan toch niet? Dit kan ik niet geloven. Verschrikkelijk! Wat is er gebeurd? Wat is er met Madelon gebeurd?!'

Ze kwam naar buiten en begon met haar hoofd tegen me aan te snikken. Samen zijn we achter de agent aan naar binnen gegaan.

We namen onze vertrouwde plek op de bank in en de agent deed verslag van 'het noodlottig ongeval', zoals hij het noemde. Gelukkig vertelde híj het. Ik was er nooit uitgekomen.

Hij deed verslag van 'de vermoedelijke toedracht

van dit zo noodlottige ongeval'.

Madelon was de hal ingelopen. Ze was naar de kapotte liftdeur toegelopen, had haar nieuwsgierigheid niet kunnen bedwingen, had waarschijnlijk te ver voorover gebogen en was helaas in het gat gevallen, met de dood als tragisch gevolg.

Niet lang daarna kwam de monteur terug met de onderdelen die hij was gaan halen. Hij deed de deur van de lift in de ontvangsthal open en trof daar tot zijn ontzetting het levenloze lichaam van Maria's dochter aan.

Een arts werd onmiddellijk gewaarschuwd, maar ook hij kon alleen maar constateren dat het meisje overleden was. Doodsoorzaak: gebroken nek.

Inmiddels was hij - de agent - door de receptioniste met de dienstlift naar de bovenste etage geleid om ons van het tragisch ongeval te verwittigen. Daar had hij mijn moeder en mij nietsvermoedend van het gebeuren aangetroffen, wachtend op Madelons komst met een schaal met versnaperingen.

Hij had vernomen dat ik de 'vriend' (hij zei het alsof hij moeite had met zo'n onofficieel woord) van de moeder van het slachtoffer was en had mij verzocht hem naar de moeder te begeleiden om haar op de hoogte te brengen van dit tragische ongeval.

En hij condoleerde Maria met haar grote verlies.

Maria zat zachtjes te snikken en haar tranen met haar ene mouw weg te vegen. Ik had intussen mijn arm om haar heen gelegd.

'O wat erg, wat is dit erg. O wat erg, wat is dit erg,' herhaalde ze steeds, als een mantra van verdriet.

Ze voegde er aan toe: 'En wat is het ook erg voor jullie, dat het daar gebeurde, terwijl je er niets aan kon doen.'

Ze trok zich terug onder mijn arm vandaan, legde haar handen op die van mij en zei met betraande ogen: 'Nou hebben we alleen nog maar elkaar.'

Ik schoof de beelden van mijn ongelukkig aandeel aan de dood van Maria's kind naar dezelfde stilteruimte waar de laatste beelden van het kind met Stella waren opgeslagen. Een stilte die beklemde. Een ruimte die benauwde. Maar die hopelijk steeds verder weg zou komen te liggen.

Ik kuste Maria's ogen, waardoor haar wanhopige blik even verdween, knikte en zei toen hardop als om het voor altijd vast te leggen: 'Ja'.

Samen, begeleid door de agent, zijn we naar het mortuarium gegaan. In de kilte daar heeft Maria afscheid genomen. Hartbrekend.

Daarna rechtte ze haar rug: 'Zullen we langs je moeder gaan? Het arme mens zal ook van ellende niet weten waar ze het zoeken moet.'

Dat ze daar op zo'n moment aan kon denken!

Toen m'n moeder ons zag, begon ze onbedaarlijk te huilen. Maria omarmde haar, huilde hartgrondig haar eigen verdriet.

Ik legde m'n armen om deze twee vrouwen in mijn leven heen en zo wiegden wij een tijdlang zachtjes heen en weer in onze woordenloze rouwzang om de verloren kinderen.

Wat ik fijn vond aan Maria, en ontroerend om te zien: haar verdriet was zo doorschijnend, ik kon haar er helemaal doorzien. Dat maakte het ook mogelijk om haar tot steun te zijn.

Ik nam een week onbetaald verlof op van m'n werk. Maria vond het fijn dat ik bij haar bleef en bij alle voorbereidingen op de begrafenis was.

'Ik heb je gewoon nodig.'

De begrafenis zou een sobere plechtigheid worden.

'Al die poespas hoef ik niet,' vond Maria.

Er kwamen onverwachts veel telefoontjes, vooral van klanten van haar. Die hadden op de deur van de winkel het bordje 'wegens omstandigheden gesloten' gezien en dat gecombineerd met het bericht in het plaatselijk krantje. Het was een opluchting voor Maria dat ik die mensen te woord stond.

In die dagen voor de begrafenis hadden we het vaak over ons tweeën. Dat we nu allebei hetzelfde litteken hadden, alleen met een andere naam. Dat de pijn verder ging dan dat litteken. Dat de pijn, zoals bij een gehandicapte, je juist liet voelen wat je niet meer had, wat je steeds maar miste. Maar, herhaalden we, het was niet alleen verdriet dat we deelden. Als we elkaar vasthielden, was het niet de symptoombestrijding van een paar Parkinsonpatienten die dat doen om het trillen bij de ander tegen te gaan. We hielden elkaar vast, omdat we van elkaar hielden.

Ik deelde niet met Maria wat ik over de doodsoorzaak van beide kinderen wist. Daar zou ik tot aan m'n eigen dood over zwijgen.

Kon ik dat naar de achtergrond van mijn geheugen duwen?

Dat was het laatste stukje verraderlijke stroom dat ik moest doorwaden om de vaste grond van onze hoop te bereiken: Maria en ik, wij konden samen verder.

De dag voor de begrafenis ging ik naar huis om wat spullen te pakken. Toen ik binnenkwam liep ik rechtstreeks naar Stella's kamer en deed daar de deur zachtjes dicht.

Z

een laatste woord

Inmiddels kan ik terugkijken naar Martha en mij. Er is helaas maar één harde conclusie te trekken: ik heb Martha ontzettend tekort gedaan. Ik heb het niet gezien, haar gevecht en haar verdriet om Stella. Wat ik had moeten zien, heb ik niet gezien. En wat ik nooit had willen zien, zag ik wel.

Hadden we het samen gerooid als ik meer van Martha had opgemerkt? Als ik daar meer oog voor had gehad? Ik weet het niet. Het is één van de vele vragen waar ik geen antwoord op heb.

Misschien had onze relatie de solide bouw van een zandkasteel: niet bestand tegen de stortbui aan emoties die losbarstte toen Stella steeds maar bleef huilen en toen ze plotseling stierf.

Martha en ik waren zo gewend aan stilte. We struikelden blind over elkaars woorden. En we bleken niet in staat met andere zintuigen onze goede bedoelingen op te merken.

Toen kreeg Martha die verte in haar blik. Een verte waarvan ik de afstand probeerde te overbruggen, met de hulpeloosheid van een ongetrainde langeafstandsloper. Een verte die Martha daarna alleen en definitief heeft gezocht. En gevonden.

Ik kreeg laatst een brief van Martha. Daarin vertelde ze dat ze liefderijk was opgevangen door mensen van Miracle of Love en dat ze bij hen haar plaats had gevonden. Ze was er vast van overtuigd dat ze Stella in een later leven zou weerzien. Dat besef hielp haar.

Voor haar was er nu een tijd van 'healing' aangebroken. Zo noemde ze het. Daardoor kon ze ook deze brief aan mij schrijven. Ze hoopte dat ik daar ook aan toe zou komen, of misschien wel aan toegekomen was, dat ik verder zou gaan en niet zou blijven hangen in het verleden.

Zo plaatste Martha naar mijn gevoel de illusie van religie tegenover de desillusie van de realiteit. Zij geloofde heilig dat ze Stella terug zou zien.

Ik kon mezelf er niet van overtuigen dat mijn gevoel niet klopte: ik was Stella voorgoed kwijt en zou haar nooit meer ontmoeten.

Het is niet zo moeilijk om te weten wat we weten. Het probleem is onszelf te overtuigen dat wat we weten is wat er is. Gelukkig is de waarheid iets waarmee we kunnen spelen. Dat helpt ons een betekenis te construeren.

Ik was blij voor Martha.

Hoe ik ook zou willen goochelen met de waarheid, ik kan er niet omheen: ik heb het kind opzettelijk gedood.

Op het moment dat ik zag hoe het kind Stella door verstikking ombracht, vatte ik het plan op om haar te doden.

Ik wist het meteen, die beelden aan anderen tonen zou medeleven opleveren, maar geen gerechtigheid voor deze daad. En haar aangeven bij de politie zou tot niets leiden. Ja, misschien tot een uitspraak 'dood door schuld' of 'onachtzaamheid' of hoe zoiets ook heet. Het zou in geen verhouding staan tot wat ze zelf had aangericht.

Elke straf anders dan wat Stella zelf had ondergaan zou te licht zijn.

Dat werd mijn geheime missie: Stella dood, dan het kind ook dood. Ik wist het, misschien niet eens zo bewust… Het zou ooit gebeuren.

Dus, was het toeval dat ik Maria in de supermarkt tegenkwam en met haar naar huis ging? Ik denk het niet. Ik was er kennelijk klaar voor.

Maar het was wel toeval dat ik onvermoed sterke gevoelens voor Maria ging koesteren en dat ik van haar ging houden.

Daardoor raakte m'n missie op de achtergrond, temeer omdat ik ook het kind steeds sympathieker begon te vinden.

Ik geloofde bij vlagen in de mogelijkheid om met z'n drieën gelukkig te worden en twijfelde aan m'n eigen oude voornemen.

Mijn herinneringen aan Stella waren als getijden:

soms werd ik erdoor overspoeld, dan weer stond ik droog. Als ik bij mijn moeder op bezoek was, moest ik dikwijls het hoofd boven water zien te houden. En dan kwam de behoefte aan gerechtigheid vanzelf boven drijven.

Dus toen ik het kind bij het gat van de lift zag staan, was er de impuls om op dat ogenblik toe te slaan. Dat heb ik gedaan.

De beelden daarvan gaan de afgelopen dagen regelmatig in slow motion door m'n hoofd. Ze roepen ook allerlei vragen op. Niet die van de verantwoordelijkheid. Ik weet het, de subjectieve waarneming van de dader neemt de individuele verantwoordelijkheid voor zijn daad niet weg.

Nee, er speelt iets anders.

Toen ik op het kind afreed, zag ik dat ze niet schrok. Ze kreeg een blik van herkenning en ook van opluchting in haar ogen. Ze keek alsof ze wou zeggen: 'Hè, hè, eindelijk weet ik waar ik aan toe ben met je'.

De scootmobiel remde al af terwijl ze zich naar me toekeerde.

Op dat moment keek ze me aan met wat ik niet anders dan een blik van bevrijding en van geruststelling kan noemen.

Ik kan die blik alleen maar in woorden omschrijven als 'Zo is het goed'.

Ze stapte achteruit tegen het bord aan, en viel de liftschacht in.

Is het juist wat ik meen gezien te hebben? Ook dat zal ik nooit weten. Het geloven helpt me in het troosten van Maria.

Zo heb ik - net als Martha - dan toch ook m'n eigen geloof gevonden.

Ik voel me als de geheimagent in de film 'Das Leben der Anderen': ik heb iemands dood op m'n geweten, bescherm de naaste - en kan zo ook zelf zwijgend verder leven. Alleen, aan mij zal geen boek opgedragen worden. Heldendaden zijn van een ander kaliber.

Hier sta ik dus, met mijn arm troostrijk om Maria's schouder. Terwijl de kist langzaam en onherroepelijk in het graf zakt, druk ik haar wat steviger tegen me aan.

Ze kijkt me aan en in die blik vertrouwt ze me haar diepe verdriet toe.

Het gekke is: ik heb het zekere gevoel dat ik haar daarin kan troosten. Even zeker als ik weet: het kind is dood.

Ik heb het gered.